Denise Plongé

Septembre 2000

LE ROMAN
DE
LA TOUR D'ARGENT

Photos de Gaston Bergeret : p. 9 et 107

© le cherche midi éditeur, 1997.

CLAUDE TERRAIL

LE ROMAN

DE

LA TOUR D'ARGENT

Édition réalisée sous la direction de
Jacques Pessis

le cherche midi éditeur
23, rue du Cherche-Midi, 75006 Paris

On vient à la Tour d'Argent pour dîner.
Arrivé là, on regarde.
Sacha GUITRY

Il y a les restaurants et la Tour d'Argent,
il y a les restaurateurs et il y a Claude Terrail.
Robert COURTINE

Convier quelqu'un, c'est se charger de son bonheur
pendant tout le temps qu'il est sous notre toit.
BRILLAT-SAVARIN

Il n'y a rien de plus sérieux que le plaisir !

On me dit restaurateur. Oui, sans doute, je le suis, mais comme je l'entends, à ma propre manière. Adolescent, sous l'influence de Sacha Guitry, mon maître, je me voyais comédien. J'ai finalement choisi un théâtre pas comme les autres, celui que mon père m'a légué, la Tour d'Argent.

Depuis cinquante ans, à raison de deux représentations par jour, sauf le lundi, j'assure ainsi un rôle et cent variations au gré d'un spectateur qui n'est autre que Sa Majesté le client...

À l'heure où j'écris ces lignes, il est un peu plus de vingt heures. Pour la centième fois, pour la millième fois, pour la dix millième fois peut-être, me voilà prêt à entrer en scène. La comédie que nous allons jouer est un dîner et moi, je suis votre hôte. Dans quelques instants, je vais saluer celles et ceux qui, des quatre coins du monde, anonymes ou célèbres, sont venus jusqu'à nous pour donner la réplique et nous permettre d'exercer notre art. Un spectacle se déroulant dans une salle elle-même ouverte sur la plus belle scène du monde, Paris...

À l'instant où cette ville lumière, qui se rit des siècles et des modes, s'apprête aux éblouissements, nous allons, ensemble, improviser sur le bonheur de recevoir, dans un décor dont les accessoires ont été soigneusement choisis : une table parée de linge fin, uni, brodé et imprimé, des porcelaines précieuses, des verres et des carafes en cristal, quelques fleurs et une lumière subtilement dosée. Il n'y a rien de plus sérieux que le plaisir !

Le blason
de la Tour d'Argent,
créé voici plus de quatre siècles.

«Entre toi et moi, vois-tu la différence ?» de-
mandait un jour la reine Christine de Suède à
un aubergiste qui se lamentait de sa condition, selon lui, pitoyable.

«Moi, la reine, je me déplace à la rencontre de
mon peuple : je dois aller à lui. Toi, aubergiste,
chacun vient chez toi sans qu'on l'en prie.
As-tu lieu de te plaindre ? N'est-ce point là
bienfait de la fortune ? »

Comme elle avait raison ! Depuis un demi-
siècle, ma vie est une suite d'aventures et de
perpétuelles métamorphoses. N'en déplaise à
mes proches, la Tour d'Argent est ma femme,
ma maîtresse, l'être à qui je suis le plus
attaché. J'ai pu y satisfaire une bonne part de
mes aspirations. Bleuet à la boutonnière, j'ai
veillé à conserver les élégances de naguère et
mis, je l'espère, un certain panache à préserver ma liberté.

Un art de vivre plutôt que de survivre dont je
ne parviens pas à me lasser. En mon âme et
conscience, je souhaite donc qu'il continue le
plus longtemps possible.

J'ai vécu un rêve, j'ai voulu vous le faire
partager. Aujourd'hui, je vous en livre des
anecdotes, des humeurs et des images.

Claude Terrail

Si vous avez manqué
le début

4 MARS 1582 : Face au pont de la Tournelle, la Tour d'Argent, une hostellerie où l'on sert une cuisine raffinée à l'italienne et qui est un gîte confortable, reçoit un visiteur exceptionnel en la personne de Henri III, roi de France et de Pologne. Il sait que depuis quelques mois, un certain Rourteau a ouvert, entre la Seine et le couvent des Bernardins, une auberge exclusivement destinée à des seigneurs las de hanter les tripots et les coupe-gorge parisiens. Elle est bâtie en style Renaissance, à partir d'une pierre champenoise aux reflets argentés, d'où son enseigne.

Frédéric, le premier canardier, 1890; pour lui, la cuisine est une religion.

Au milieu du souper, le regard de Sa Majesté se trouve attiré par l'attitude de trois cavaliers. Au lieu de manger leur viande avec leurs doigts, ils la piquent avec des instruments étranges, finement travaillés et terminés d'un côté par deux pointes aiguës. Cette invention récente, qui vient de Venise, s'appelle la fourchette. Fascinée, Sa Majesté décide de la faire reproduire. Mieux encore, le 20 décembre, elle revient à la Tour d'Argent pour souper avec les pièces originales.

C'est la première d'un grand nombre de soirées de prestige, au cours desquelles d'innombrables gloires éternelles vont marquer les tables de leur empreinte. Du jour au lendemain, cour oblige, cette auberge qui, un an auparavant n'était qu'un terrain vague, devient le rendez-vous de l'élégance, du bien-vivre et du bien-manger.

Dans cette salle, Henri IV va déguster la poule au pot et le pâté de héron, le duc de Richelieu va faire servir un bœuf entier apprêté de trente façons différentes, avant d'offrir à ses invités une boisson encore inconnue à Paris, le café. En d'autres temps, Mme de Sévigné va régulièrement venir boire son chocolat chaud favori.

...hony Terrail dans le décor du Café anglais
...Tour d'Argent, 1920 : à 80 ans, il a choisi
...econder mon père.

La Tour d'Argent
dans les « années folles » : 1925.

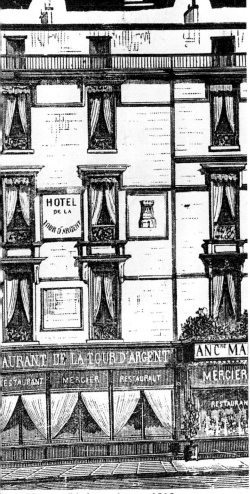

...Tour d'Argent dirigée par Lecoq, 1860 :
...authentique décor Napoléon III.

Anthony Terrail, 1928 : mon grand-père a été le premier
à m'inviter à la Tour…

Les caves légendaires de la Tour, gardées par Joseph Pellissier, un sommelier resté fidèle à mon père, 1916.

L'auberge se trouvant sur la route de ceux qui vont prendre la Bastille, elle est détruite et pillée à l'heure de la révolution de 1789. Plus tard, grâce à Lecoq, chef des cuisines de Napoléon III, elle retrouve fort heureusement son aura d'autrefois. Morny, Musset, George Sand, Dumas, Balzac et Offenbach font alors partie de ses habitués les plus prestigieux.

À la fin du siècle dernier, Frédéric, ex-premier maître d'hôtel à la Tour d'Argent, rachète le fond. Pour lui, la cuisine n'est pas un art mais une religion. S'installant aux fourneaux vêtu

La Tour rénovée par André Terrail, 1925 : « Il faut évoluer pour mieux durer. »

Un nouveau décor pour la Tour, à l'heure de la fête du 100 000e canard, 1955 : la vue, elle, n'a pas changé.

d'une redingote, passant des marmites à la salle, il ne plaisante guère avec la dignité. Il exige ainsi de ses clients le même sérieux, la même rigueur qu'il apporte à chacun de ses gestes ou à ses préparations. On le surnomme le « Bayreuth de la cuisine ». En 1890, pour la première fois, il inscrit au menu le fameux canard au sang. Un plat que Brillat-Savarin décrit comme un «mets nouveau qui fait plus pour le bonheur du genre humain que la découverte d'une étoile». C'est encore Frédéric qui codifie le rituel du canard en ayant l'idée de numéroter les volatiles sacrifiés. Un plat

La Tour s'apprête à recevoir de jeunes mariés prestigieux :
la princesse Élisabeth et le duc Philippe d'Édimbourg, 16 mai 1948.

qu'il est capable de découper à bout de fourchette sans que cette dernière touche le plat. Une performance !

Après la disparition de Frédéric, la Tour d'Argent est reprise, en 1916, par un chef

Les caves de la Tour d'Argent, le rendez-vous favori du Tout-Paris, 1950.

qui avait effectué, pendant sa période de formation, un court stage dans les cuisines. Il avait alors été frappé par la recherche de la perfection qu'affectionnait alors le maître des lieux. C'est un passionné, un travailleur et un homme d'affaires avisé : mon père, André Terrail. Né en 1877, il a quitté le giron familial valentinois à l'âge de treize ans pour monter à Paris. Petit à petit, il a gravi les marches qui l'ont mené au succès. Il a d'abord travaillé chez Lagan, un glacier-traiteur de la rue Notre-Dame-des-Champs, puis au Café anglais, où il a servi le futur Édouard VII. Il est ensuite devenu chef des cuisines de la comtesse d'Andigné, puis du baron Gustave de Rothschild à Paris, avant de s'installer à Londres pour exercer la même fonction chez le baron Alfred de Rothschild. Une lourde responsabilité puisqu'à l'époque, grâce au succès de Ritz et Escoffier au Savoy, la capitale britannique est la brillante ambassade de la cuisine française.

Sur la recommandation d'Auguste Escoffier, surnommé « le cuisinier des empereurs et l'empereur des cuisiniers », papa se retrouve au service de Guillaume II qui a pris un pied-à-terre à High Cliff Castle. Enfin, consécration suprême, il assure la direction du Cavendish Hotel, le plus chic des palaces de luxe.

Ainsi formé, il revient en France et se retrouve au Café anglais, chez Claudius Burdel, où il avait jadis effectué un stage fort réussi. C'est là qu'il rencontre la fille de ce dernier, Augusta, qui deviendra ma mère. Le mariage a eu lieu le 30 juin 1914, quelques semaines avant la déclaration de guerre, quinze mois après la fermeture et la démolition du Café anglais, sacrifié aux grands travaux du baron Haussmann, après avoir été, pendant un demi-siècle, le rendez-vous des gloires et des élégances.

Une forme de vie parisienne est morte, une autre s'apprête à naître...

C'était au temps où l'on pouvait aller de la Concorde à la Tour d'Argent en sept minutes, 1955.

La Tour après la Libération, 1947 : la vie recommence et la fête continue.

Mon père avait raison

4 décembre 1917 : au pied de la Seine, comme tous les soirs, les clochards qui dorment le long des quais prennent le chemin du Pavillon Baltard, aux Halles, où ils vont gagner une soupe, une pièce de monnaie ou un litre de vin en aidant à ranger les marchandises arrivant, à cheval, de province.

Plus haut, face à Notre-Dame, dans la salle de la Tour d'Argent, on fête le 50 000ᵉ caneton sacrifié selon le rite. Au quatrième étage, à la même heure, je suis en train de pousser mon premier cri. Si, comme mon frère Jean, et mes sœurs, Christiane, Micheline et Raymonde, j'ai vu le jour juste au-dessus du restaurant, c'est parce que le médecin de famille, le docteur Basset, en a décidé ainsi. Mes parents n'ont pas discuté. Tout ce que dit ce bel homme à la voix autoritaire est en effet parole d'évangile.

En 1922, toute la famille s'installe dans un hôtel particulier, 45 rue Pierre-Charron, au coin de l'avenue George V, près des Champs-Élysées. Mon père a choisi d'y emménager, afin de concrétiser un projet qui lui tient à cœur : l'ouverture de prestigieux salons où l'on organiserait des cocktails et des dîners. Avant la guerre, il était courant que l'on

reçoive chez soi mais depuis le début des années 20, les usages ont changé, et les lieux où l'on peut accueillir de nombreux invités susceptibles d'être convenablement traités ne sont pas si nombreux.

Le succès de ces réceptions est immédiat. Les Champs-Élysées brillent alors de mille feux et justifient leur surnom de « plus belle avenue du monde ». La joie de vivre est telle qu'il est, par exemple, dans mes habitudes de serrer la main d'un policier. Il est alors l'ami du citoyen, parce qu'en réglant la circulation, il m'aide à traverser la rue ! Imaginez une telle scène aujourd'hui ! On chercherait aussitôt la caméra cachée !

Mon père consacre alors une partie de ses journées à d'autres affaires, parmi lesquelles un hôtel, le Roblin et un restaurant, l'Escargot. Il ne néglige pas la Tour d'Argent pour autant. La liste des premiers clients prestigieux venus sous son règne est éloquente : Alphonse XIII, roi d'Espagne, Hirohito, prince impérial, la duchesse de Morny, le duc de Guise, Thomas Rockfeller. Ses multiples activités ne suffisent pas à épuiser sa soif de travail. Juste en face de notre domicile, il y a un terrain qu'il va racheter en

1925 après nous en avoir expliqué les raisons : « J'ai envie de créer une affaire près de chez moi. Je pourrai ainsi m'en occuper sans prendre ma voiture. Le gain de temps pourrait être énorme. Je vous prédis qu'un jour, la circulation sera difficile, voire impossible dans ce quartier. » C'est ainsi qu'en avril 1928, papa ouvre l'un des plus beaux hôtels de Paris, le George V. Il a surveillé chaque détail de la construction en veillant à ce que, pour la première fois dans un établissement de ce type, toutes les chambres donnent sur la rue. Il a également mis au point, dans ce palace, un système électrique, mille fois copié depuis, à base de trois lumières. Cela permet d'appeler une femme de chambre, un valet ou un maître d'hôtel en évitant la sonnette dont le bruit peut troubler le repos de certains clients. Il devient ainsi administrateur général et directeur délégué de ce qui restera l'œuvre de sa vie, même si, six ans plus tard, il doit se démettre de ses fonctions à la suite de difficultés financières dont il n'est pas responsable. Plus tard, il va créer d'autres affaires, parmi lesquelles Lunch et Glaciers, une société regroupant quatre des plus grandes pâtisseries de Paris, ainsi qu'un service de traiteurs, Potel et Chabot. Parallèlement il continue à s'occuper du Roblin, crée l'hôtel San Regis, rue Jean-Goujon, et participe à l'aménagement de l'hôtel California, rue de Berri. En 1924, il entreprend à la Tour d'Argent un chantier qu'il projetait depuis longtemps. Il réunit les 15 et 17 quai de la Tournelle, repense la façade, rénove les sols et transforme le rez-de-chaussée en une salle entièrement lambrissée, ornée de toiles de maîtres. Son objectif est clair : il faut évoluer sans cesse pour mieux durer. Un principe que je n'ai jamais oublié...

Comment a t-il pu faire tout cela en même temps. La réponse est simple : papa est un homme actif, précis et autoritaire. Avec lui, rien n'est jamais laissé au hasard, même dans les domaines de la vie quotidienne ou de

À quatre ans, je découvre Paris depuis le quatrième étage de la Tour...

notre éducation. Le mot « interdit », qu'il prononce régulièrement, n'a pas le moindre côté répressif. Il ne faut pas prendre ses remarques, parfois sévères, comme une punition mais comme un instant de pédagogie. Oserais-je le dire aujourd'hui, en citant Sacha Guitry que j'aime tant, *Mon père avait raison*. Il m'a inculqué des principes aussi simples qu'efficaces, qui m'ont donné la force nécessaire pour affronter les épreuves de la vie. Je le reconnais sans peine, sa tâche n'a pas toujours été simple. J'étais un enfant gentil et poli, certes, mais bagarreur et guère facile à vivre. Mes gouvernantes l'ont parfois appris à leurs dépens et si Marguerite, ma grand-mère maternelle, a résisté à mes fantaisies, c'est sans doute parce que, à sa manière, elle était une sainte. Avec le recul, je dois reconnaître que je l'ai souvent martyrisée pendant les week-ends passés chez elle tandis que, le reste de la semaine, après un début de formation au cours Hattemer, j'étais pensionnaire au lycée Fénelon. D'autres samedis de mon enfance ont été marqués par la récompense hebdomadaire, le cinéma muet, et les dimanches par une autre tradition, celle des journées dans la propriété familiale, à Villiers-sur-Orge. « Un séjour indispensable, disait mon père, pour respirer l'air de la campagne et être en communion avec la nature. »
Nous voyagions à bord de celle que nous avions surnommée « la Panpan », un coupé Panhard où je me trouvais à l'avant en compagnie de Jean, mon frère aîné, les parents occupant les places arrière. Nous retrouvions

ainsi un poney, une vache, un mouton et des lapins blancs, dont Victor, notre jardinier, s'occupait en permanence.
Régulièrement, nous tentions, en vain, de la traire. En revanche, notre réussite était beaucoup plus remarquable dans la cueillette des noix, des châtaignes, des groseilles et des cerises. Une activité qui ne devait surtout pas nous empêcher de manquer les deux coups de cloche annonçant le déjeuner et signifiant en même temps : « Vous avez deux minutes pour vous laver les mains et rejoindre la salle à manger. » La fameuse rigueur paternelle !

Au retour, mes parents devaient affronter, porte d'Orléans, l'épreuve de l'octroi. Toutes les voitures étaient arrêtées et, comme à un

André et Augusta Terrail, 1935.

poste de douane, il fallait déclarer les œufs, les poulets ou, si l'on chassait, les deux faisans tués dans la journée. Des agents vérifiaient notre coffre et nous remettaient deux feuilles, une verte et une rouge représentant, le cas échéant, des droits à payer.

Du 14 juillet au 1er septembre, nous prenions nos quartiers d'été à Hardelot-Plage, près du Touquet, où papa avait acheté une villa. Je me souviens de nos voyages dignes de la chanson de Georgius, «J'ai une auto». Au départ de Paris, il fallait vérifier les attaches de la remorque contenant les bagages, accrochée à notre « Panpan ». Les boulons des deux roues ayant pour mauvaise habitude de sauter régulièrement, une réserve d'une trentaine de pièces de rechange était indispensable si nous voulions avoir une chance d'arriver au port. Camille, chauffeur et jardinier en chef de la propriété, était chargé de ce genre de réparation.

Autour de cette plage, résidaient d'illustres familles, parmi lesquelles celle de Louis Blériot. Chaque jour, nous croisions également des pêcheurs dans leurs pantalons huilés. Ils étaient en mer depuis six heures du matin et venaient derrière la villa pour nous proposer le produit de leurs filets. La cuisinière choisissait, pesait et nous servait aussitôt après des crevettes géantes dont la fraîcheur était garantie !

Les enfants qui partaient en vacances n'étaient alors pas nombreux. Nous étions des privilégiés et, à ce titre, nous avions des missions très importantes à accomplir

La propriété familiale
à Villiers-sur-Orge, 1920 : nous y passions
des dimanches rigoureux mais heureux.

À l'école Fénelon : au premier plan, mes professeurs, l'abbé Beraudy et M. Giraud.
Moi, je suis juste au-dessus : 1926.

auprès de ceux qui n'avaient pas les mêmes avantages. Nous leur apportions de la nourriture et, pour les divertir, je réalisais des tours de magie que j'avais appris en utilisant une boîte que l'on m'avait offerte pour Noël.

Noël, une autre tradition chère à mon souvenir. Le 24 décembre, les parents sortaient et nous restions à la maison. Nous préparions un repas pour le Père Noël : une tranche de jambon, une mandarine, un morceau de pain et un petit verre de vin blanc ou rouge. Puis, autour de l'arbre dressé dans le grand salon, nous invitions le personnel à réveillonner. Nous chantions des refrains traditionnels, puis nous allions nous coucher après avoir soigneusement placé nos chaussures devant la cheminée. À l'âge de sept ans, je croyais encore à l'existence du Père Noël. Au fond de moi-même, j'y crois toujours et il en sera ainsi, j'en suis certain, jusqu'à la fin de ma vie. Enfant, je ne succombais pas aux

charmes de la bonne chère. J'ai commencé à en prendre conscience à l'âge de neuf ans, pendant la période de Noël que je viens justement d'évoquer. Il était alors de tradition d'offrir à nos maîtres, de la part de nos parents, un cadeau en témoignage de gratitude. Il s'agissait, en général, d'une écharpe de laine douce et épaisse, d'un strict sous-main ou d'une pendulette gravée dix-huit carats. Cette année-là, papa me confie une terrine de foie gras qui, dès que je la prends en main, me semble lourde, laide et d'une rusticité à faire pâlir. La mort dans l'âme, je m'acquitte néanmoins de ma mission. Quelques jours plus tard, le père supérieur, à qui j'avais remis ce présent, me convoque dans son bureau. Je pâlis, persuadé que je vais payer très cher la faute de tact de mes parents. Dès que j'entre dans la pièce, il bondit sur moi et m'étreint en s'exclamant : « Ah, ce que c'était bon ! » Des félicitations signifiant, également, que je

En « Buster Keaton »,
avec Micheline, ma sœur, 1927.

En « Roi Dagobert », 1927 :
« Il finira dans un cirque », disait mon père.

serais toujours le bienvenu, surtout avec une autre terrine...

À cette époque, je rêvais de devenir comédien. Ma mère m'en avait donné le goût en m'offrant, dans mes très jeunes années, un abonnement à la Comédie-Française. Un jeudi par mois, j'ai ainsi découvert le bonheur du théâtre de Molière. Mieux encore, j'ai assisté, au Châtelet, à la féérie que constituait une représentation de *Michel Strogoff*. Quoi de plus formateur pour l'imaginaire d'un enfant que la vision de deux cents personnes sur scène, entourées de fauves et de décors fabuleux…

J'ai aussi été invité à d'innombrables bals costumés. Tous les déguisements, de l'habit du siècle des lumières à celui du détective des années trente en passant par le costume de comique troupier, collaient parfaitement à ma peau. J'étais alors celui qui, à travers ses grimaces, faisait rire toute l'assemblée. J'aimais tellement la comédie que, à l'école, je me suis toujours porté volontaire lorsqu'un prêtre recherchait quelqu'un pour jouer une pièce. Yvonne Printemps, qui était une amie de mon père, m'a proposé un jour de tourner dans *Les Trois Valses* mais s'est vu opposer un veto paternel, sous prétexte que « j'étais trop occupé ». Beaucoup plus tard, Marie Bell, une autre immense comédienne également très liée à notre famille, a essuyé le même refus en m'offrant un rôle dans un film qui s'intitulait *Carnet de bal*.

« Ton fils a le physique et la voix de l'emploi », affirmait-elle alors à papa qui ne voulait rien entendre. En réalité, il ne prenait pas ma vocation au sérieux. Il ne cessait en effet de répéter, à mon propos : « C'est un clown, il ne fera jamais rien. Ou alors il finira peut-être dans un cirque. »

À l'époque, personne, à commencer par moi-même, ne pouvait imaginer que je lui succéderais un jour à la tête de la Tour d'Argent. J'étais même prêt à parier que j'étais capable d'exercer n'importe quel métier, à l'exception de celui de mon père.

Mon premier souvenir de la Tour d'Argent remonte au lendemain de mes onze ans. Je suis invité à déjeuner dans le « salon du grand Serge », par Anthony, mon grand-père paternel. Il se prénomme en réalité Joseph-Antoine, mais il a choisi cet anglicisme à quatre-vingts ans passés, lorsque, s'ennuyant dans la propriété familiale des Rebattières, près de Valence, il est venu seconder mon père.

Ce dernier estime alors que son successeur tout désigné est Jean, mon frère aîné, et ne juge donc pas utile de me convier à une table, quai de la Tournelle. Saisissant le prétexte d'une série de bonnes notes à l'école, grand-papa répare cette injustice et me permet de déguster ainsi mon premier canard.

Ce jour-là, je découvre mon père sous un jour nouveau, celui de l'homme veillant à chaque détail dans ce décor auquel il a tant apporté.

Tous les soirs, il y trône vêtu d'un smoking et, le samedi, il porte un habit avec une chemise plissée, car il ne supporte pas les plastrons.

Comble de l'élégance, il orne sa boutonnière d'un œillet, sa fleur préférée. Une idée qu'il a rapportée d'Angleterre. Outre-Manche, il a en effet observé ceux qui cultivent leur jardin, cueillent une rose et la portent pendant le reste de la journée.

En ce qui me concerne, j'ai endossé mon premier smoking à l'âge de onze ans. Profitant de quatre jours de vacances, mon père nous avait emmenés à Londres, au Dorchester, dont il connaissait les responsables. Je me souviens d'avoir croisé, au pied de l'ascenseur, Barbara Hutton que j'ai retrouvée, beaucoup plus tard, à la Tour d'Argent. Venue un jour, à l'improviste, déjeuner avec un ami, elle se retrouve à une table un peu à l'écart. Arrivé en retard, je la reconnais aussitôt et m'empresse d'aller lui présenter mes civilités et mes excuses. Elle m'arrête d'un geste et, avec un sourire aussi charmant que décisif, me répond d'une voix assez haute : « Cher Claude Terrail, vous savez bien que la plus belle table, c'est toujours celle où je suis assise. »

En 1933, je reviens à Londres, mais pour une période beaucoup plus longue et nettement moins joyeuse. Je me retrouve en effet à Wragby, au Panton College, pour apprendre ce qui, aux yeux de mes parents, vaut tous les diplômes du monde : la pratique de l'anglais. Dans mon enfance, c'était d'ailleurs dans la langue de Shakespeare que mes parents s'exprimaient lorsqu'ils désiraient échanger des propos qui ne fussent pas compris par le personnel.

Je vais ainsi passer des mois cauchemardesques dans un collège prétendu catholique, mais où le climat ne l'est pas vraiment. Je suis alors le seul Français, ce qui me vaut les quolibets habituels remontant à l'époque napoléonienne, du style : « Tu n'es qu'un mangeur de grenouilles. » Un jour, tout naturellement, le ton finit par monter et une bagarre commencée dans la cour de récréation se termine à la régulière, dans la salle de culture physique sur un ring. Un combat de boxe, gants aux poings, que je remporte aisément. Cela n'est pas du goût de mes petits camarades. Le soir même, ils vont se mettre à quatre pour me rappeler que je peux aussi être le vaincu !

Je vais également découvrir, pendant cette période, que l'autorité ne vient pas forcément d'un maître, mais, à l'occasion, d'un élève. Celui-ci, surnommé le préfet, est alors, dans chaque classe du collège, le responsable de tous ses camarades. Il arrive souvent qu'il en profite, voire qu'il en abuse, en affichant une sévérité bien supérieure à celle de nos pions. Ainsi, quand votre conduite n'est pas parfaite, vous lance-t-il en plein cours : « Sortez et allez voir le frère Frédéric ! »

Lorsque ce maître suprême vous reçoit, il vous ordonne immédiatement de vous placer dans un coin de la pièce où se trouve un fouet. La perspective de la punition corporelle ne fait alors plus de doute. Le jour où je me suis retrouvé dans cette situation, je n'ai pas hésité une seconde. Je ne me sentais pas coupable et estimais qu'à part mon père et ma mère,

personne n'avait le droit de m'infliger la moindre correction. J'ai alors repéré, près de la fenêtre une carabine qui servait de temps à autre à éloigner les merles tournant autour du jardin. Je me suis placé à côté d'elle et, en un regard, j'ai fait comprendre à mon bourreau qu'au moindre geste de violence, je tirerais sur lui. Réalisant ma détermination, ce dernier a renoncé à la punition en me demandant de promettre d'être plus sage désormais. Ce que j'ai fait, sans la moindre hésitation...

Côté nourriture, c'est pire encore. Le sport est obligatoire, ce qui me convient très bien. Toutefois, après six heures au pas de course, alors que je rêve d'un steak frites, je me retrouve devant un morceau de viande bouillie accompagné d'une espèce de chou. « Pourquoi l'appétit existe-t-il, me dis-je alors. Ce plat est une insulte au bon goût ! » Au milieu de ce brouillard d'adolescent, un rayon de soleil va toutefois

Première communion, 16 mai 1929.

Claude au Panton College à Wragby, 1933 :
on m'a traité de « mangeur de grenouilles ».

sabilité est immense. Ils veillent en effet sur des trésors inestimables, uniques au monde, de la vaisselle aux verres en passant par des dessus-de-table en or massif destinés, en fonction des réceptions organisées par la cour, aux visites de chefs d'État ou aux commémorations diverses. Ces pièces uniques sont entretenues en permanence par plusieurs femmes aux gants aussi éclatants que cet ensemble. À la fin de ma visite, je vais découvrir d'autres objets dont la modestie n'est qu'apparente. Parmi eux, figurent une écuelle en bois dans laquelle George V déguste ses pommes à l'anglaise, ainsi qu'un *Livre des menus* proposant des côtes d'agneau vert pré, rayé par la reine Mary, avec un mot de sa main majestueuse : « Mon mari n'en prendra pas. »

Le retour au collège est très difficile. Au bout de quatre mois, je réalise combien je suis réfractaire à cette discipline. Je décide donc de partir, sans avertir personne. À la nuit tombée, je sors discrètement et, sachant qu'on ne découvrira pas ma fugue avant le lendemain matin, je prends le premier train pour Londres. Une amie de ma mère, Mᵐᵉ Strauss, m'accueille, me sert un poulet froid comme j'en rêvais depuis mon départ de France, et téléphone à mes parents pour les prévenir de ma fugue et plaider ma cause. La colère de mon père sera intense, mais brève. Il comprend très vite que rien ne me fera changer d'avis. Je vais donc passer les trois derniers mois de ma scolarité britannique à Ashford, au Muncaster School, dans un collège beaucoup plus humain.

surgir à l'heure d'une visite de mes parents. Ils m'emmènent en effet à Buckingham Palace où nous sommes reçus par Henri Cédard, le chef des cuisines de Sa Majesté, le roi George V. Il nous présente les responsables de la vaisselle en or, puis de la vaisselle en argent. Considérés, dans le palais, comme des personnages extrêmement importants, ils disposent d'un très grand bureau et ont le droit, voire le devoir, de porter l'épée. Leur respon-

De retour à Paris, j'apprends que l'on va m'envoyer à Vienne, afin de parfaire, cette fois-ci, mon apprentissage de la langue du pays. Je deviens ainsi pensionnaire à la Theresianum Akademie de Vienne. À la fin des années trente, cette ville demeure encore celle des valses, des fêtes du vin et des automnes romantiques.

Le collège où je suis admis pourrait, au départ, ressembler à ceux que j'ai précédemment fréquentés en Angleterre. L'uniforme à l'autrichienne y est obligatoire : costume noir avec boutons de marin, pantalons courts en peau de chamois, avec bretelles, grosse chemise de toile, manches relevées et casquette. Un ensemble auquel il faut ajouter un bon pull-over pendant les périodes d'hiver. En revanche, l'art de vivre est heureusement sans rapport avec celui que j'ai connu outre-Manche. Cet établissement se trouve essentiellement fréquenté par une jeunesse dorée, venue de tous les pays du monde pour confronter ses élégances, son savoir-vivre et son bon goût. C'est là que je vais apprendre ce que le luxe exige de rigueur ainsi que les règles essentielles du maintien. Totalement réfractaire à la discipline, je vais néanmoins accepter, puisque c'est la tradition, de claquer des talons en les soulevant pour saluer un professeur passant dans le couloir.

En fréquentant quotidiennement des jeunes mesurant, comme moi, un mètre quatre-vingts au minimum, je vais progresser dans différentes disciplines sportives, parmi lesquelles le football, le tennis et l'épée.

Cela ne m'empêche pas de parfaire mon allemand. Je le dois, je l'avoue, à la fréquentation de charmantes jeunes filles des environs, plutôt qu'aux cours magistraux dans la langue de Goethe. Au bout de trois mois, je suis en effet parvenu à obtenir une autorisation pour sortir le soir et j'en profite largement. Je découvre ainsi la magie de Vienne avec ses cafés aux mille miroirs, ses pâtisseries légendaires et ses boutiques. La nuit, je vis au

La villa d'Hourdelot, 1934 : des vacances familiales privilégiées.

rythme des fastes des galas au Burgtheater et à l'Opéra, puis, au rythme des valses de Strauss, je m'étourdis en me rendant dans des soirées somptueuses données par les princes du Tout-Vienne que sont alors le comte von Starhemberg ou le baron von Etthofer. Une féerie qui, toutefois, ne fait pas complètement disparaître les premiers signes d'une crise économique. Dans les dîners, la porcelaine est très belle, mais extrêmement usée.

On devine que nos hôtes ne l'ont pas renouvelée depuis longtemps et ne songent guère, pour l'instant, à le faire. De plus, en côtoyant la population, je ressens comme un malaise. Certains portent Hitler aux nues, d'autres défendent la position de Mussolini et quelques-uns ne rêvent que d'une neutralité du pays.

Débuts au théâtre, 1936 : Marie Bell et Yvonne Printemps croyaient en ma carrière de comédien.

Pourquoi suis-je aussi bien accueilli ? Parce que je suis français ! Notre langue, alors très populaire dans le monde, symbolise le charme et la bonne éducation. Pardonnez-moi ce manque de modestie, mais, grâce aux règles que m'ont inculquées mes parents, je suis alors capable de défendre, dans ce domaine, l'honneur national. Ouvrir la porte d'une voiture à une femme, la laisser passer devant soi, se lever pour la saluer même si on

ne la connaît pas sont devenus pour moi des réflexes naturels. De même ai-je appris, dès l'âge de cinq ans, l'art du baisemain. Certains sourient, certes, en découvrant un enfant accomplir ce geste qu'on juge parfois désuet. Cela ne va jamais m'empêcher de continuer, et les dames ne s'en plaindront pas, bien au contraire.

De même ai-je vite compris qu'à une réception, il est d'usage, lorsque vous êtes la puissance invitante, de ne jamais tendre la main à un arrivant. C'est à ce dernier d'accomplir ce geste et vous vous devez de lui répondre. Un principe que je continue à respecter chaque jour, en recevant mes clients et amis à la Tour d'Argent.

À Vienne, je commence à rêver à une existence encore plus brillante et toujours aussi indépendante. Je me sens alors attiré par les intrigues, les subtilités d'une diplomatie qui, à mes yeux, se règle dans les salons. Grâce à l'intervention de quelques amis, je parviens à décrocher, en 1936, un poste de conseiller d'Amin Fouad, ambassadeur d'Égypte à Bucarest. Accéder à cette ville, lorsqu'on se trouve à Vienne, n'est pas plus difficile que de se rendre à Deauville pour un Parisien. Je deviens ainsi une sorte de « ministre du plaisir », de « fou du roi », dans la meilleure acception de ce rôle à la cour. Je commence ainsi à organiser toutes sortes de réceptions, parmi lesquelles de grands repas à la française. Une période au cours de laquelle à Balchik, sur les bords de la mer Noire, je vais être présenté à une fidèle de la Tour d'Argent :

la reine Marie de Roumanie. Mes pas vont ensuite me conduire en Albanie, le temps d'un séjour chez le fils du Premier ministre qui fut l'un de mes condisciples au Theresianum. Chaleureusement, il me dit d'emblée : « Tout ce qui est ici est à toi ! »

Je prends ses propos au pied de la lettre et, apercevant un jour, au détour d'un couloir, une jeune fille ravissante, je lui fais un brin de cour et finit par l'embrasser. Le scandale est immédiat. Une telle attitude à l'égard d'une femme célibataire est en effet théoriquement punie par un châtiment. Pour l'éviter, je suis dans l'obligation d'abréger mon séjour...

Au début du mois de mai 1936, on me demande d'organiser une fête à laquelle sera convié tout ce que l'Égypte compte d'amis et de relations dans les environs. Afin de disposer d'une place suffisante pour accueillir cette assistance considérable, je choisis le cadre élégant du Restaurantul du Bois, proche de la ville. À quelques jours de la date prévue, le roi Fouad 1er d'Égypte tombe gravement malade. Le protocole suspend légitimement galas et réceptions mais, un léger mieux s'annonçant à travers les bulletins de santé, je parviens à convaincre Son Excellence Amin Fouad de ne pas annuler l'événement.

Pendant la soirée, je vais voir disparaître puis réapparaître à plusieurs reprises Samir Aboulfetou, Premier secrétaire de l'ambassadeur. À son visage, je comprends que l'irrémédiable est arrivé. Cela ne l'empêche pas, en

À Vienne en 1936 : j'y ai appris la rigueur du luxe et les règles du maintien.

bon diplomate, de reprendre sa place et de s'associer, avec un enjouement exemplaire à des festivités qui vont se poursuivre jusqu'à l'aube.

En rentrant à Bucarest, notre joyeuse troupe de noctambules va découvrir, dans le jour naissant, des centaines de drapeaux en berne.

Dès l'annonce de la mort de Fouad 1er, les édifices publics et les bâtiments privés ont pris le deuil. Seuls pointent alors, libres et joyeux, le drapeau rouge des Soviétiques, sans relations diplomatiques avec l'Égypte et... le fanion égyptien ! En quelques instants et avant même que d'autres réalisent l'insolite de la situation, l'ambassadeur prend les dispositions qui s'imposent.

À l'heure de présenter leurs condoléances, les représentants des pays amis ont sans doute été frappés par les visages marqués de leurs hôtes. Une mine défaite qui, je le confesse aujourd'hui, était plutôt à mettre au compte des lendemains difficiles d'une fête réussie.

Quelques semaines avant la fin de mon séjour au Theresianum Akademie, mes parents m'annoncent que ma formation va être complétée par des travaux pratiques : un stage dans l'un des plus illustres palaces du monde, appartenant à une amie de mon père. Me voilà propulsé chef de réception au Waldlust Hotel à Freudenstadt, en Allemagne, au cœur de la Forêt-Noire. Je vais y accueillir chaque jour des familles voyageant à bord de Mercedes ou de Porsche somptueuses, conduites par des chauffeurs en livrée. Des clients extrêmement fortunés qui ne se contentent pas de transporter d'innombrables valises dans leurs voitures mais demandent, dès leur arrivée, qu'on aille chercher à la gare les malles complémentaires. Elles sont tellement nombreuses qu'une seule camionnette se révèle souvent insuffisante pour les rapporter toutes.

C'est pendant cette période que je vais être initié à l'art de donner raison au client sans oublier mon propre point de vue, et m'exercer régulièrement à une technique de base de notre métier qui consiste à se montrer poli mais pas servile, à plaire sans être obséquieux.

De retour à Paris, je retrouve une famille qui, au bout de huit mois d'absence, ne me reconnaît pas immédiatement. À la gare de l'Est, mes proches, venus m'accueillir, passent d'abord devant moi sans s'arrêter. Quelques secondes plus tard, ils reviennent sur leurs pas et prennent conscience d'une bévue bien compréhensible. Je ne suis plus un adolescent mais un homme prêt à assumer ses responsabilités. Tout naturellement, ma grand-mère m'interroge sur les choix que j'envisage pour l'avenir. J'avoue alors, sans la moindre hésitation, que je compte devenir comédien. La réponse familiale est claire et unanime : « Jamais le nom de Terrail ne sera celui d'un saltimbanque ! » J'ai beau expliquer que je suis prêt à prendre un pseudonyme, celui de Claude Bayard ou de Claude de Villers, rien n'y fait. Un soir, au cours d'un dîner, mon père prononce la formule que je redoutais : « Demain, onze heures à mon bureau ! »

En me rendant à ce rendez-vous, je me dis que la cause est entendue : je vais m'en tirer avec une leçon de morale, dont je devrai ensuite mesurer les conséquences. À ma grande surprise, voilà qu'il me parle avec passion, pendant une quarantaine de minutes, du métier de restaurateur en m'affirmant, en guise de conclusion, que je suis fait pour poursuivre son œuvre et maintenir la Tour d'Argent, c'est-à-dire la renouveler comme il s'y est employé depuis 1916. Je comprends alors que Jean, mon frère aîné sur lequel il portait ses espoirs, n'est pas l'homme de la situation. Papa lui reproche, en particulier, son manque de rigueur. En un dixième de

vient d'ouvrir ses portes et porte le nom de Jean Drouant, qui fut, avant-guerre, le président des restaurateurs hôteliers. Les résultats sont inversement proportionnels à mes espoirs. Je me retrouve entouré de fils d'hôteliers qui, au lieu de jouer la carte de la camaraderie, pratiquent à merveille l'art de la jalousie, face à des professeurs confondant « service » et « servilité ».

La « Panpan », 1937 : un coupé Panhard digne de la chanson de Georgius, « J'ai une auto »…

seconde, je pèse le pour et le contre. Il me tend la main et, instinctivement je la lui serre très fort. Je réalise alors que nous venons de conclure un pacte pour la vie et que j'ai désormais toutes les chances de consacrer le reste de ma vie à bien traiter des amis...

Maintenant que ma voie semble enfin tracée, il est temps de passer à la pratique. Afin de perfectionner mes connaissances, je conviens avec mon père d'entrer dans une école qui

« Baissez-vous, baissez-vous davantage pour dire bonsoir à un client », me répètent-ils, à longueur de journée. Mon refus et mon manque d'obéissance ainsi qu'une bagarre avec d'autres élèves entraînent ma mise à la porte, dix jours seulement après mon arrivée. Quelques semaines plus tard, la présidence de la République fait savoir que le président Albert Lebrun accepte d'inaugurer officiellement l'établissement et demande qu'on lui communique la liste des élèves. Le nom du fils du, ô combien, célèbre André Terrail est immédiatement retenu et le protocole annonce à la direction de l'école que le jeune Claude fera partie de ceux qui seront présentés au chef de l'État. Très ennuyé, le directeur envoie un émissaire à la maison et je suis invité à revenir, pour un jour seulement, après avoir donné ma parole d'homme que je ne créerai pas le moindre scandale.

Le jour de la cérémonie, le président de la République se dirige immédiatement vers moi. Un geste compréhensible puisque je mesure cinq centimètres de plus que les autres. Il s'exclame alors avec une voix larmoyante et de la buée dans les yeux : « Alors mon petit, cette école, elle te plaît, tu en es fier ? »

Pour les responsables, qui viennent d'affirmer que je suis « l'un de leurs plus brillants élèves », le silence qui suit semble durer un siècle. D'une voix mal assurée, je finis par répondre :

« Oui, monsieur le Président !

– Eh bien, je suis fier de toi. »

Albert Lebrun poursuit sa visite et, à l'instant même où sa voiture et son escorte quittent l'école, je suis renvoyé pour la seconde fois.

À mon père, désespéré par les soucis que mon caractère lui impose, je dis, quelques jours plus tard : « Je veux bien faire des stages, mais chez des gens qui travaillent vraiment. »

C'est ainsi que je me retrouve aux Délices, 32 avenue de Villiers, une pâtisserie-traiteur célèbre dirigée par un homme très respectable qui se fait appeler Monsieur Michel. Spécialisé dans les réceptions, il officie, entre autres, dans les palais officiels et les ambassades. Chez lui, je vais apprendre l'art de maîtriser le sucre et de confectionner toutes sortes de gâteaux, de la charlotte à la pâte à choux en passant par l'éclair. Cette activité ne m'empêche pas de me rendre dans des réceptions où l'on m'invite parce que je suis le fils d'André Terrail. Un jour, avenue Foch, je découvre sur un buffet les petits fours et les sandwiches que j'ai préparés quelques heures plus tôt. Un maître d'hôtel me tend une

Les poneys du cirque Amar, rachetés par mon père et installés dans la chasse familiale, 1949.

assiette que je refuse poliment. Apercevant la scène, la maîtresse de maison, une marquise, s'approche de moi, ajuste son lorgnon et me lance : « Ils ne vous plaisent pas ?

– Ce n'est pas ça, madame. Vous auriez pu les commander un peu plus tôt.

– Pourquoi dites-vous ça ?

– Parce que c'est moi qui les ai faits.

– Qui êtes-vous ? me demande-t-elle, interloquée.

– Je m'appelle Claude Terrail. »

Cette dame s'est longtemps demandé comment, sur sa liste d'invités, pouvait figurer un garçon d'aussi mauvaise condition !

Quelques mois plus tard, je possède les bases suffisantes pour passer enfin de l'autre côté des fourneaux. À l'aube de l'Exposition universelle de 1937, mon père me juge digne d'entrer à la Tour d'Argent. Pas question toutefois que je me retrouve immédiatement en haut de l'échelle, ou plus exactement à l'étage du restaurant. Me voici donc au rez-de-chaussée où mon rôle consiste alors à recevoir les clients et à les diriger vers un petit ascenseur, qui les conduira dans la salle où l'on dîne face à Notre-Dame de Paris.

Quelque temps plus tard, j'accède enfin au «saint des saints», où je suis chargé de l'accueil de clients ! L'arrivée du « fils du patron » ne perturbe absolument pas le cérémonial quotidien. Je commence à peine à m'habituer à ce nouveau décor lorsqu'une main puissante me fait soudain pivoter sur moi-même. Je me retrouve face à un colosse

en redingote, cravate noire et col cassé, qui exige une table sur-le-champ. Je jette un coup d'œil rapide autour de moi : il n'y a pas la moindre place de libre. En un dixième de seconde, je trouve la parade et lui lance : « Pas de problème, monsieur. Le temps de descendre à la cave choisir votre bouteille. Si vous voulez bien me suivre... »

Au moment d'entrer dans l'ascenseur, un vieux maître d'hôtel me prend à part et me murmure à l'oreille : « Faites attention, c'est un assassin ! »

Je vais alors passer les instants les plus difficiles de ma jeune carrière. Ce client « illustre », qui est aussi un œnologue averti, va longuement hésiter avant de choisir un gruaud-larose 1870 qu'il goûte puis met lui-même en carafe. Lorsque nous remontons – sain et sauf en ce qui me concerne –, une table s'est miraculeusement

Ma première voiture : une 5 CV «queue de trèfle» achetée d'occasion, 1937.

libérée et je pousse, discrètement, un soupir de soulagement. Orphée, revenu des Enfers, n'a pas dû connaître une liesse comparable à la mienne.

J'apprends ensuite que cet homme n'est autre qu'Harry Thaw, honorable descendant d'une richissime famille américaine. Il vient de passer quinze ans à l'asile psychiatrique de Sing Sing pour avoir tué un architecte new-yorkais qui était l'amant de sa femme. À peine libéré, il a pris un avion pour la France et nous a réservé sa première soirée. Il veut s'amuser, oublier, dit-il, ses années de calvaire.

Il va ainsi souvent revenir à Paris et séjourner régulièrement au George V. Les gouvernantes et secrétaires qui s'occupent de lui ont alors fort à faire pour lui arracher un sourire. C'est quasiment mission impossible ! Un soir, ce petit monde lui conseille d'aller se promener du côté de Montmartre. Il s'exécute et, suivi par sa troupe, se retrouve boulevard Rochechouart. Entrer dans une boîte de strip-tease pour découvrir « les p'tites femmes de Paris » ne l'intéressant absolument pas, il choisit de déambuler entre la place Blanche et la place Pigalle. Tout naturellement, il finit par arriver ce qui devait se produire. Une jeune femme s'approche de lui en lui disant : « Alors, chéri, tu t'ennuies ? Allez, viens avec moi... tu me réchaufferas, j'ai froid. »

S'exprimant fort mal en français mais comprenant presque parfaitement notre langue, Harry Thaw sort de sa poche une carte de visite qu'il tend à la prostituée.

« *My name is Harry...* Hôtel George V,

tomorrow, five o'clock », lui dit-il avant de reprendre sa route. En le voyant disparaître, la demoiselle aux mœurs légères se dit qu'une fois de plus, elle est tombée sur un dingue. Le soir, elle en parle à ses copines qui lui conseillent de se rendre à ce rendez-vous. « Le George V, tu te rends compte ! C'est l'un des plus grands hôtels de Paris. Qu'est-ce que tu risques ? »

C'est ainsi que le lendemain à dix-sept heures précises, Praline, le concierge du palace, voit débarquer la jeune femme affublée d'un boa autour du cou. Il s'apprête à demander qu'on la jette dehors lorsqu'elle lui montre la carte de visite d'Harry Thaw. Surpris, il téléphone au secrétaire de son prestigieux client qui, instantanément, confirme qu'il ne s'agit pas d'un canular.

« Faites-la monter immédiatement », ajoute le dévoué collaborateur. Quelques instants plus tard, accompagnée par deux grooms, l'hétaïre se retrouve dans une suite où le secrétaire qui l'a accueillie lui montre, alignés sur un sofa, les plus beaux manteaux de vison du monde. Puis, il lui dit simplement : « Voilà, mademoiselle, choisissez. » Transportée, médusée, paralysée et muette, elle fait un geste qui, pour elle, signifie : « Arrêtez de vous moquer de moi. » L'un de ses doigts s'étant, en même temps, dirigé vers l'un des manteaux, le secrétaire pense qu'elle a fait son choix et lui tend la fourrure en ajoutant : « C'est pour vous. » Affolée, elle se dirige vers la sortie sans y toucher. Le manteau atterrit de force dans ses bras, accompagné d'une enveloppe contenant un chèque de mille dollars. Le fidèle collaborateur d'Harry Thaw prend congé et, sur un petit nuage, la jeune fille se retrouve avenue George V sans avoir rencontré son « client » et sans comprendre ce qui venait de lui arriver. La réalité est simple. Harry Thaw n'avait pas été touché par les charmes de la demoiselle mais lorsqu'il l'avait entendue dire : « J'ai froid », il avait décidé de lui offrir un manteau !

À la Tour d'Argent, j'apprends, petit à petit, à jongler avec l'étiquette et à mémoriser la longue liste de nos habitués où figurent, entre autres, le prince de Monaco, le duc et la duchesse de Talleyrand, Jeanne Lanvin, l'Aga Khan et la Bégum, ainsi que le duc et la duchesse de Windsor.

Au lendemain de la fin de l'Exposition universelle de 1937, mon père me propose une mission de confiance. Afin de compléter mon apprentissage, il souhaite me confier la direction du Pavillon, un prestigieux restaurant créé aux États-Unis à l'occasion de l'Exposition américaine. Je refuse net et préfère devancer l'appel. Papa, qui a vécu les horreurs de la Première Guerre mondiale, ne souhaite pas me voir accomplir mon service militaire. Une idée à laquelle je m'oppose immédiatement. Me considérant comme un citoyen responsable, me trouvant jeune et plutôt bien constitué – je mesure 1,87 m –, je n'imagine pas le moindre passe-droit.

C'est ainsi qu'à la fin de 1937, muni d'un brevet de pilote réussi après trente heures de vol sur des biplans, je suis incorporé à Chartres, au 122e bataillon de l'Air, puis au 1er groupe de la 6e escadre. Mes rêves de héros du ciel s'estompent toutefois rapidement. Je me retrouve en effet aux commandes d'un manche à balai… de paille, chargé du nettoyage quotidien des cabinets de la caserne. Un traitement contre lequel, bien entendu, je m'élève avec force. Ce n'est pas ainsi que j'envisageais de servir mon pays ! Le temps de faire intervenir quelques hauts personnages proches de ma famille et me voici affecté au ministère de l'Air, boulevard Victor, à Paris. Ma mission consiste à veiller, chaque nuit, à la sécurité des bâtiments, ce qui me permet, pendant la journée, de reprendre du service à la Tour d'Argent, auprès de mon père.

Un emploi du temps qui me laisse également le loisir de me rendre régulièrement au 100, rue Réaumur, un immeuble qui abritera *France Soir* à partir de 1945, pour m'initier au catch. Gaston George, un ancien champion, m'a convaincu de m'entraîner quotidiennement afin de développer ma musculation et ma souplesse, en pratiquant notamment l'art de la chute. C'est ainsi que je vais côtoyer d'authentiques champions du genre, mais aussi des débutants bien sympathiques parmi lesquels un certain Lino Ventura. Cela se passe si bien qu'un jour, je me retrouve sur le ring de la salle Wagram. Histoire de ne pas créer de nouveaux conflits familiaux, je m'y suis inscrit sous le pseudonyme de Liarret, c'est-à-dire Terrail à l'envers. Mon adversaire est un garçon de dix-sept ans au talent extrêmement prometteur. C'est le moins qu'on puisse dire puisque, quelques mois plus tard, il va devenir champion d'Europe ! J'imagine, non sans fierté, que je vais disputer un vrai match et voilà que je me retrouve entraîné dans un simulacre de combat. Au départ, comme cela se fait parfois dans ce genre de rencontre, le responsable des matchs nous a dit : « Vous faites juste une démonstration pour le public. Il n'y a ni gagnant ni perdant. » Hélas pour moi, mon adversaire, soucieux de montrer ses talents, ne respecte pas ces instructions et en rajoute avant de me clouer définitivement à terre. Dois-je vous préciser que je n'ai jamais autant souffert de ma vie et que ces sept minutes de pugilat ont constitué la première et dernière apparition de ma vie sur un ring ?

Je profite également des soirs de permission pour m'offrir de folles nuits au cœur d'un Paris dont j'ai découvert les charmes au lendemain de mon dix-huitième anniversaire. J'ai alors passé un moment de rêve dans un club à l'enseigne du Monte-Cristo, puis au Bal Tabarin, un cabaret où la folie des décors n'a d'égale que l'originalité des attractions et le charme des danseuses. Dans les mois qui vont suivre, je vais commencer à fréquenter la plupart des lieux mythiques qui ont fait la légende du «gai Paris» de la fin des années folles. Les plus courus sont alors le Bœuf sur le Toit, un cabaret où se retrouvent, entre autres, Jean Cocteau, Charles Trenet, Jean Sablon, Stéphane Grappelli, et Chez Odette, un club de Pigalle où se produisent les grands chansonniers de l'époque, parmi lesquels Pierre Dac et Raymond

Au Monte-Cristo, 1937 : le club où j'ai découvert les folies des nuits parisiennes.

Souplex. Mes pas me conduisent aussi souvent à La Roulotte où la mère matrone, que nous appelons Lulu, a placé à la caisse une entraîneuse absolument divine prénommée Raymonde, qui est ensuite devenue une amie très proche.

Je me souviens aussi avoir fait découvrir à des amis américains les charmes du Sphinx, une maison close où il est possible de se contenter de consommer une bière en assistant à un vague spectacle de strip-tease, dont les vedettes étaient des filles aux charmes peu convaincants. Tout cela est bon enfant et personne ne crie au scandale pour atteinte aux bonnes mœurs.

Nous terminons ces soirées joyeuses dans des boîtes russes où les musiciens et les chanteurs aux voix exceptionnelles nous font reprendre en chœur *les Bateliers de la Volga* et *la Charge de Cavalerie*, puis vider nos verres et les casser avant la dernière note.

L'un de ces plus illustres clubs, le Casanova, à Montmartre, est dirigé et animé par Nicolas, qui s'est illustré par son courage en 1914 et a fini la guerre avec le grade de colonel. Pendant une grande partie de la nuit, il trinque au champagne avec tous ses clients, puis disparaît soudain après l'arrivée d'un maître d'hôtel, l'appelant « parce qu'on le demande dans son bureau ». Un code signifiant,

Hourdelot, plage familiale, 1936 : parmi nos voisins, la famille de Louis Blériot.

en réalité, qu'il a largement dépassé son état d'ébriété. L'un de ses collaborateurs, à qui il a donné des ordres très précis, l'enferme alors dans une pièce où il est victime d'une crise de delirium tremens. Une fois celle-ci terminée, il retourne dans la salle comme si rien ne s'était passé et continue à boire avec les habitués.

Beaucoup plus tard, en souvenir de cette époque, je vais organiser chez moi, un dîner à la russe pour quelques intimes. Antonio, mon maître d'hôtel, me fait remarquer que, selon la tradition, beaucoup de verres vont être brisés au cours de la soirée. Je décide donc de remplacer mon précieux service en cristal par des coupes provenant d'un grand magasin. Le moment venu, à l'heure des tziganes,

je donne le signal de la fête en portant le premier toast. Après avoir, comme il se doit, vidé la coupe sur le plat du violon, je jette mon verre et, horreur, je vois celui-ci rebondir à deux reprises. Il est incassable ! Je n'ai pas pu reculer et, en quelques secondes, j'ai fait disparaître cette verroterie et ressortir le bon vieux service de famille...

En 1938, je fréquente également le Poisson Rouge, près de la Coupole. C'est dans cette brasserie que, vers quatre heures du matin, accompagnés de quelques inconnues croisées pendant ce périple joyeux, nous terminons la nuit au milieu de jeunes peintres et d'artistes en quête de notoriété. Montparnasse est alors le centre de la vie culturelle.

Souvenir du Bal Tabarin, 1937 : les attractions étaient originales et les danseuses charmantes.

Les années noires
de la Tour d'Argent

La déclaration de guerre va brusquement mettre un terme à notre insouciance. Je suis encore au ministère de l'Air lorsque j'apprends, en septembre 1939, comme tout le monde, par les journaux et la radio, le début d'une « drôle de guerre » qui, nous l'ignorons encore, va nous conduire à la catastrophe. Les responsables politiques nous mentent, mais nous sommes très nombreux à ne pas en être conscients. Peu de gens prennent alors au sérieux les déclarations d'Hitler, considéré comme un fou. Mes amis américains, en revanche, se méfient beaucoup plus. Un grand nombre d'entre eux viennent ainsi me faire leurs adieux en précisant qu'ils ont décidé de rentrer dans leur pays par le prochain bateau.

J'éprouve alors le sentiment qu'à un moment ou à un autre, il va se passer quelque chose de beaucoup plus grave. N'ayant pas peur de l'idée de la guerre, intégrée depuis toujours dans mon éducation, j'estime que mon rôle n'est pas de rester derrière un bureau et je demande à mes supérieurs une nouvelle affectation. Je suis d'abord envoyé avec le colonel de Marnier à la base aérienne de Bron, près de Lyon. Un soir, nous subissons un bombardement effroyable : nos appareils sont détruits et nous dénombrons de nombreuses victimes. Aussitôt l'alerte terminée, le colonel m'ordonne de me rendre immédiatement à Lyon afin de rassembler un certain nombre de camarades insouciants. J'ai bien du mal à les convaincre de quitter les terrasses de café où ils sirotent leur pastis pour rejoindre notre base. Une fois cette mission accomplie, je suis chargé d'équiper des aviateurs

La partie des caves que j'ai murée en une nuit de 1940 : des bouteilles rarissimes ont ainsi échappé aux nazis.

polonais. Devant la tournure des événements, ils ont décidé de gagner Londres à tout prix, afin de poursuivre le combat.

Un dessin « réalisé sur le vif » par Paul Colin, mais non signé, pendant un tir de la DCA contre les forteresses américaines qui survolent Paris, 1944.

Je comprends alors que la partie est perdue. Un matin, en accord avec l'un de mes supérieurs, nous empruntons un avion et partons pour Paris avec, en tête, une idée très précise. J'atterris au Bourget et me dirige aussitôt vers la Tour d'Argent, où je vais, en une nuit, murer discrètement une partie des caves. Des centaines de bouteilles rarissimes vont ainsi disparaître derrière des briques et d'autres cuvées de grande qualité, certes, mais beaucoup moins irremplaçables.

À mes yeux, il s'agit de la seule manière d'empêcher les hommes de l'état-major de Goering de s'emparer de trésors qui font partie de notre patrimoine. Une opération couronnée de réussite, puisque, entre 1940 et 1944, plusieurs officiers allemands vont visiter nos caves sans se rendre compte de mon subterfuge. Ils sont déçus, certes, de ne pas trouver les grands crus dont on leur parlait depuis si longtemps, mais aucun d'entre eux n'aura, fort heureusement, l'idée de regarder le plan de l'immeuble. En un coup d'œil, le moins observateur des nazis aurait sans doute éventé ma ruse !

Je retourne à Bron avant de me retrouver au camp du Larzac, près de Millau, où ma troupe s'est repliée. Les choses vont ensuite aller très vite. J'apprends successivement l'armistice, ma démobilisation mais aussi, par un télégramme de ma mère, que mon père est souffrant. Je n'hésite pas une seconde. Dans mon esprit, le doute a laissé place à l'écœurement. Je crois encore à la France, mais plus en ceux qui la gouvernent. Je décide alors de consacrer toute mon énergie à ma famille. Je me rends alors

Le temps du service militaire à Chartres : 122e bataillon de l'Air, dans la chambrée, 1938.

aux Rebattières, près de Valence, chez tante Madeleine, la sœur de mon père. Je retrouve maman, puis je remonte en direction de Paris. Je retrouve papa à Villiers-sur-Orge. Sa souffrance s'est encore aggravée lorsqu'il a pris conscience des événements qui secouent notre pays. À mon arrivée il m'embrasse et s'exclame : « Tu as mis du temps pour revenir ! »

Il m'explique alors le dilemme auquel il fait face : la Tour d'Argent, fermée depuis la mobilisation de son personnel, doit ouvrir ses portes sur ordre des Allemands. Ceux-ci nous ont mis le marché en main : si nous n'obéissons pas en remettant au travail nos propres équipes, ils en feront venir d'autres de Berlin. Mon père, conscient qu'il faut,

à tout prix, préserver le restaurant, son image et son personnel, consent, selon son expression, à « éviter le pire ».

La Tour rouvre donc ses portes avec, dans la salle, la « zone libre » d'un côté et, de l'autre, les « étrangers de passage ». Les jours et les mois commencent à s'écouler. En novembre 1942, je rencontre pour la première fois le commandant Jacques Bell, un médecin devenu l'un des dirigeants d'un important réseau clandestin dans la région de Troyes : un homme exceptionnel, un grand héros. Je me demande alors si mon devoir n'est pas de rejoindre le Forces Françaises Libres en Algérie, où les américains viennent de débarquer. Bell me le déconseille et m'explique

Le caporal Terrail,
volontaire de la 2ᵉ DB,
1944.

aussitôt vers Troyes pour retrouver mon
« contact » et me faire confirmer dans mes activités. Je reviens à Paris où, au milieu des em-
brassades, des toasts et des bals, je dresse immédiatement un premier bilan de la
situation. La Tour est sauvée, ainsi que mes
garçons qui, grâce à leur emploi, ont évité le
STO. J'apprends alors que l'on recherche des
hommes prêts à rejoindre l'héroïque Division
Leclerc. Je cours annoncer à mon père que le
« caporal Terrail » se porte volontaire.

Grâce à ma parfaite connaissance de l'anglais et de l'allemand, je me retrouve affecté
sur le front dans un groupe mobile de trans-
missions toujours prêt à intervenir, chargé
de veiller au remplacement du matériel radio équipant les tanks et les divisions blin-
dées sur les fronts américain et français. Je
vais vivre alors les plus beaux moments de
mon existence. Je participe à la campagne de
France et d'Allemagne. Après la libération
de Strasbourg, j'ai la chance de me trouver
parmi ceux qui entrent, victorieux, dans
Obernai. Un matin, j'entrevois Leclerc, légende vivante incarnant un panache que
l'on croyait à jamais disparu. Autour de lui,
l'enthousiasme est parfois plus fort que la
discipline, chacun voulant le suivre et
n'obéir qu'à lui.

Plus d'un demi-siècle s'est écoulé depuis cette
époque héroïque, et le temps n'a toujours pas
altéré, bien au contraire, ma fierté d'avoir été
admis parmi ces volontaires au départ mal
armés, désorientés mais qui, depuis Koufra,
s'étaient juré de ne cesser le combat qu'en

que je rendrai plus de services à la France en
demeurant à mon poste. C'est ainsi que, au
cœur de la Tour d'Argent, je suis devenu
agent de renseignements. À partir du 12 novembre 1942, et pendant les deux années
qui vont suivre, je vais transmettre toutes
sortes d'informations, discrètement glanées
au hasard de mes rencontres.

Le 25 août 1944, les cloches sonnent dans
Paris libéré pour les troupes de Leclerc. Je file

atteignant le Rhin. Ils ont tenu parole. Jean Cocteau leur rendra hommage à sa manière en les évoquant comme des clochards épiques qui, grâce à Leclerc, devinrent une équipe ne voyant que d'un œil et ne battant que d'un cœur…

Je me retrouve ensuite au repos à Châteauroux. C'est là que le lieutenant-colonel David nous demande de descendre à Marseille pour faire remplacer notre matériel. Lorsque notre convoi arrive à Vienne, je ne résiste pas à la tentation. Je fais signe d'arrêter nos camions militaires devant le célèbre restaurant La Pyramide. Je demande discrètement au groom de service si, par hasard, Fernand Point ne serait pas là. Je précise que je suis le fils d'André Terrail et, quelques instants plus tard, le maître des lieux apparaît.

« Mon petit, me dit-il paternellement, je suis bien content de te voir. Bon, va te laver les mains, nous passons à table dans trois minutes. »

Berlin, une réception organisée par mes soins. De gauche à droite, les généraux Eisenhower, Joukov, Kœnig, et Montgomery, 3 octobre 1945.

Avec Fernand Point à Vienne, 1945 : un groupe de la Division Leclerc a déjeuné à La Pyramide.

Je précise timidement que je ne suis pas seul, ni même en goguette avec une petite amie. Il maintient néanmoins, avec la même spontanéité, sa généreuse invitation. C'est ainsi qu'un groupe de la Division Leclerc va déjeuner à La Pyramide, le convoi se trouvant, pendant ce temps, sous la seule garde du chasseur du restaurant !

Au lendemain de la victoire du 8 mai 1945, le capitaine Bouche, intendant du général Kœnig, me demande de me rendre à Berlin pour participer aux cérémonies de la victoire. Ce n'est pas au soldat qu'il s'adresse alors, mais au restaurateur. Les généraux Kœnig, Montgomery, Eisenhower et Joukov, qui occupent alors Berlin, ont décidé de s'inviter à tour de rôle et, pour organiser les réceptions françaises, on a pensé à moi. Tous les moyens nécessaires au succès de cette opération bien pacifique vont être mis à ma disposition : un avion pour transporter les cuisiniers, la vaisselle d'argent et la nourriture. C'est ainsi qu'en octobre 1945, assisté d'une équipe ayant revêtu l'uniforme kaki et le calot, je vais organiser dans le Q.G. français, un service que, en de telles circonstances, je dois qualifier de militaire... En me félicitant, le général Eisenhower va me promettre de venir un soir à la Tour d'Argent. Il va tenir sa promesse le 6 août 1951, accompagné par un ancien de la 2ᵉ DB, le général américain Edwin Norman Clark. Après avoir dégusté le canard numéro 222 580, il va me confier, dans le creux de l'oreille, qu'il commence à envisager d'être candidat à la présidence des États-Unis...

Pendant la campagne d'Allemagne. Sur ma Jeep, j'ai écrit le surnom de la femme qui est alors dans mon cœur : Babounette.

Un soir de 1960, ces souvenirs vont me revenir en mémoire lorsqu'un ami me prie, avec beaucoup de cérémonie, de bien vouloir faire apporter le livre d'or à l'un de ses invités, un touriste allemand au regard bien mélancolique que je ne connais absolument pas. Je m'exécute, l'homme sort son stylo et me dit : « Vous êtes la deuxième personne à me demander une signature à Paris. La première, c'était le général Leclerc, en août 1944. » À ce moment-là, je réalise que je me trouve en présence du général von Choltitz.

Mais revenons à 1946... Me voici à nouveau à Paris où, pendant quelques semaines, je me montre très hésitant. Dois-je prendre la direction de la Tour d'Argent, comme le pense mon père, ou tenter ma chance dans le théâtre, encouragé en cela par mon amie Marie Bell ? Je pense à ma famille, au personnel chômeur depuis un an et qui ne demande qu'à revenir, mais aussi à ces Américains qui, aussitôt après avoir débarqué à Paris, se rendent dans les deux lieux qu'ils considèrent comme mythiques : l'hôtel Ritz et... la Tour d'Argent. Au début de 1947, ma décision est prise. Je demande aussitôt à la préfecture de police l'autorisation de rouvrir le restaurant. « Aucun problème, me répondent aussitôt les responsables administratifs. Nous connaissons vos états de service. »

Hardelot en ruine après la guerre, 1945.

Si la Tour m'était contée…

La vie reprend son cours, avec ses interrogations plus nombreuses que jamais. Les plaies ne sont pas encore cicatrisées et certains annoncent de durs lendemains. Je me demande à plusieurs reprises si la Tour d'Argent, symbole d'un certain art de vivre plutôt que de survivre, a encore sa place dans la vie sociale d'après-guerre.

Les six premiers mois vont se révéler particulièrement difficiles. Aux restrictions alimentaires, toujours d'actualité, vont s'ajouter des soirées rendues moroses par le manque d'affluence aux tables. Les premiers clients sont alors des militaires, encore nombreux à Paris, et des habitués d'avant-guerre, revenant pour « se rendre compte » ou « m'encourager ». Parmi eux, des gloires du théâtre qui sont aussi mes amis, de Louis Jouvet à Raimu,

en passant par Marcel Achard, Pierre Benoit et Simone Berriau, comédienne et directrice du Théâtre Antoine. Mais, hélas, tout cela se révèle insuffisant pour faire vivre la vingtaine de personnes qui travaillent à mes côtés.

Un soir, ô miracle, une jeune femme pimpante à l'œil espiègle et au tailleur fleuri franchit notre porte, immédiatement suivie par une escouade affichant le même âge et une joie de vivre identique : les premiers représentants d'une nouvelle génération qui, jusqu'au début des années soixante, va se retrouver au centre de fêtes mémorables, les plus belles sans doute dans l'histoire de la vie parisienne du vingtième siècle. Une assemblée composée de Parisiens, certes, mais aussi de beaucoup d'étrangers venus, en particulier de l'autre côté de l'Atlantique. Pour les Américains,

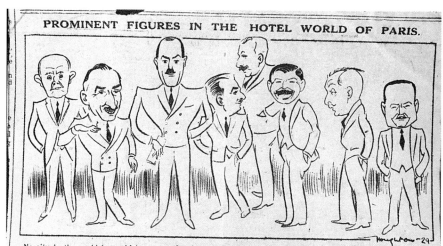

Les grands hôteliers des années trente caricaturés dans un journal américain. André Terrail est le 3e en partant de la droite.

Ali Khan et Zsa Zsa Gabor, 1950 : la comédienne était alors mariée
à George Sander, le troisième de ses huit époux.

André Terrail et Lorelle Hearst, la fille de William Randolph,
le « magnat de la presse », 1949.

Avec Joseph Pearlberg, Olivia de Havilland et Anatole Litvak, 1950.

Paris est à nouveau une ville magique où l'on
s'amuse pendant des nuits entières.

En quelques semaines, la Tour d'Argent retrouve ainsi son lustre d'antan. Soucieux d'as-
surer le changement dans la continuité, je décide de troquer l'œillet de papa contre un
bleuet à la boutonnière. Cette fleur sobre et
sans odeur symbolise l'espoir et me paraît as-
sortie à ma manière de sourire, chaque matin,
aux choses de la nature.

Suivant l'exemple de mon père, je me dois
d'être présent à chaque service pour accueillir
les clients : des inconnus, bien sûr, mais aussi
les personnalités les plus illustres et élégantes
de l'époque. Parmi elles, l'Aga Khan, Marlène
Dietrich, la duchesse de Windsor, le roi Pierre
et la reine Alexandra de Yougoslavie.

Le dimanche 16 mai 1948, la Tour d'Argent
va connaître sa première grande soirée
d'après-guerre en accueillant, le temps d'un
dîner en tête à tête, le plus célèbre des couples
princiers, Élisabeth et Philippe. Le jeune offi-
cier de marine et son épouse viennent de se
marier et ont choisi Paris pour débuter leur
voyage de noces. Entre deux réceptions officielles à l'Élysée et à l'Hôtel de Ville, la princesse a tenu à se réserver une soirée quai de la
Tournelle. Un souhait dont je suis averti au
début de l'après-midi par Lord Ducannon,
attaché à l'ambassade britannique. Il me
parle, à mots couverts, d'un « projet » plutôt
que d'un rendez-vous fixe et, ensemble, nous
ébauchons un menu pour le cas où…

À seize heures, je fais placer, dans la salle, le
fauteuil réservé à Édouard VII et l'écuelle de
George V, précieusement conservés dans
notre « musée ». Vers dix-huit heures, l'affaire
se précise. Une dizaine d'hommes viennent
soulever les tapis et les tentures afin de contrô-
ler, comme le veut la tradition, qu'aucune
bombe à retardement n'a été placée dans un
recoin de la salle. À dix-neuf heures, un com-
missaire divisionnaire me téléphone en récla-
mant, pour la préfecture de police, la liste des

clients attendus et du personnel en service ce soir-là. Il en profite pour m'annoncer l'arrivée, dans la demi-heure, d'une brigade chargée, elle aussi, des vérifications d'usage.

Enfin, vers 21 heures, la Daimler battant pavillon personnel de la princesse s'arrête devant notre porte. Élisabeth et Philippe descendent et répondent par un signe de la main à la chaleureuse ovation que leur réservent des badauds qui, à ma grande surprise, se sont amassés sur le pont. Comment ont-ils pu être prévenus aussi vite d'une visite théoriquement secrète et privée ?

C'est ainsi que les jeunes mariés vont déguster le canard numéro 185 937, accompagné d'un château-cheval-blanc 1924 et d'un château-d'yquem 1893, découvrir Notre-Dame illuminée, puis visiter nos caves où je vais leur remettre, en guise de souvenir, deux rarissimes flacons. Avant de repartir, le prince va m'avouer qu'en se mariant, il a au moins gagné une chose. En effet, lorsqu'il avait soupé chez nous alors qu'il était encore célibataire, il n'avait pas eu droit à cette promenade historique dans nos sous-sols.

Cinq ans plus tard, très exactement le 2 juin 1953, j'ai été invité à Londres aux fastueuses cérémonies du couronnement de la reine. Je m'y suis rendu en compagnie d'une amie très chère, Sonja Heine, une Norvégienne qui avait été une grande championne de patinage artistique. Incontestablement, c'est la plus belle fête à laquelle il m'ait été donné d'assister. Chaque citoyen avait, pour la circonstan-

La sortie du couple princier, Élisabeth et Phillippe, 16 mai 1948.

ce, fait un effort d'élégance, aussi minime soit-il, et l'ensemble était inoubliable. Je n'ai pas eu l'occasion d'être présenté à Sa Majesté, fort heureusement pour la réputation de mon élégance. Convié aux deux soirées officielles, j'ai malencontreusement confondu les « tenues de rigueur » et arboré le smoking quand il fallait porter l'habit, et réciproquement. La différence ne vous semble peut-être pas énorme, et pourtant elle est gigantesque lorsque vous vous retrouvez au milieu de centaines de personnes affichant, sur leur revers, la moindre de leurs décorations. Pendant quarante-huit heures, en dépit de ma taille, je me suis fait le plus petit possible.

Quelques mois après, un autre souverain, alors en exercice, va manifester le désir de goûter la cuisine de la Tour d'Argent. Le 11 mars 1949, à l'aube, l'ambassadeur de Suède me pose franchement le problème. Il m'annonce qu'un train en route pour la Côte d'Azur, à bord duquel se trouve le roi Gustave V, fait le jour même une halte à Paris, gare du Nord, entre 12 et 14 heures. Hélas, Sa Majesté, alors âgée de quatre-vingt-dix ans, n'a pas la possibilité, dans un si court délai, de rejoindre le quai de la Tournelle pour un déjeuner, même frugal. Qu'à cela ne tienne : j'annonce que nous irons servir le roi dans sa voiture. Dans les minutes qui suivent, des responsables de la SNCF me transmettent le minimum de renseignements nécessaires à l'opération, parmi lesquels les

Quand Gustave V passait par Paris, 11 mars 1949.

horaires d'arrivée et de départ, le numéro de la voie où doit stationner le convoi ainsi qu'un croquis, à l'échelle, de la voiture royale et de la cuisine attenante. De notre côté, nous numérotons les quatorze paniers d'osier dans lesquels seront placées les victuailles et, en fonction de ce que nous savons des goûts de Gustave V, nous déterminons le menu et les vins qui l'accompagneront. Suivi par quatre membres de mon personnel, je me rends gare du Nord à l'heure dite pour surveiller la bonne marche de ce repas royal : marennes vertes, volaille à la crème flanquée de quenelles, avec des truffes fraîches et des champignons de Paris, riz pilaf, foie gras à la gelée de porto, cœurs de laitue et beignets «Tour d'Argent», accompagnés d'un montrachet 1918, d'un château-margaux 1924 et d'un veuve-clicquot 1928. Avant de repartir, Sa Majesté nous a félicités et chaleureusement remerciés en ajoutant avec malice son bonheur de déguster des plats n'encourant pas les reproches de ses médecins !

Je vais servir d'autres têtes couronnées, comme, par exemple, en septembre 1951, l'impératrice Soraya qui, ce soir-là, croise dans l'escalier Greta Garbo plus divine et mystérieuse que jamais. En octobre 1954, je reçois la reine Ingrid de Danemark et la princesse Margrethe, aujourd'hui sur le trône. Sur la liste de ces hôtes de marque figurent également, entre autres, la princesse Élisabeth de Roumanie, Pilar de Bourbon, infante d'Espagne, le prince Alexandre de

Yougoslavie, le roi Umberto d'Italie, le roi Husayn de Jordanie, l'Aga Khan et son fils, le prince Ali Khan, ainsi que le prince et la princesse de Monaco qui, avant de repartir, vont me demander quelques conseils pour la constitution d'une cave au palais des Grimaldi. De même, un jour, à la chasse le hasard me fait croiser Juan Carlos. À la fin de la journée, ce dernier, qui me connaît bien et me tutoie, me prend à part et m'annonce en confidence qu'on lui propose une situation. J'imagine qu'il s'agit de la présidence d'une grande société industrielle et je m'aventure à lui demander laquelle. « Ce n'est pas du tout cela, me répond-il. Franco veut que je sois roi. Qu'est-ce que tu en penses ? » Ma réponse a été immédiate et sincère : « Accepte ! »

Il va suivre mon conseil mais, hélas, ne plus jamais revenir quai de la Tournelle…

Quant au prince Norodom Sihanouk, il m'a avoué un jour qu'il considérait la Tour d'Argent comme le seul endroit au monde où il pouvait recevoir dignement. Avant qu'il n'accède à la tête du Cambodge, il n'a ainsi jamais manqué, lors de ses passages à Paris, d'inviter sa famille, ses amis, mais aussi des ambassadeurs et des personnalités chinoises à dîner quai de la Tournelle. Ses attentions, pour le personnel comme pour moi-même, ont toujours été très grandes. En mars 1970, à la fin du repas, il a ainsi tenu à décorer personnellement le chef des cuisines ainsi que le chef sommelier. Quant à moi, chevalier de l'ordre du Cambodge depuis 1948, j'ai reçu, ce jour-là, la cravate de commandeur.

La reine Ingrid du Danemark et sa fille Margrethe, octobre 1954.

La palme de la visite la plus minutieusement préparée revient, sans la moindre contestation à Leurs Majestés l'empereur Hirohito et l'impératrice du Japon.

En avril 1971, soit deux mois avant la date fixée, un attaché de l'ambassade me rend visite afin de fixer les modalités de base. À six reprises, il va revenir dîner avec ses principaux collaborateurs. Pas seulement pour le plaisir puisque, à chaque fois, ils changent de place, d'angle et de menu afin de déterminer ce qui conviendrait le mieux à Sa Majesté Hirohito. Enfin, le grand soir arrive. J'accueille Leurs

Oliver Hardy et Suzy Delair, 1952 : le complice de Stan Laurel prédit un avenir joyeux
à la vedette de « Quai des Orfèvres ».

Sa Majesté
l'empereur Hirohito,
octobre 1971 : le menu
est devenu historique.

Majestés au rez-de-chaussée, puis, en me précipitant vers un second ascenseur, au sixième étage. Pendant tout le repas, selon les exigences du protocole, je vais me tenir près de l'ambassadeur, face à l'empereur. Au moment où on lui remet la carte de son canard, il me demande le numéro du volatile qui lui a été servi lorsqu'il est venu dîner cinquante ans plus tôt. J'avais prévu cette éventualité et je précise aussitôt : « Le 21 juin 1921, c'est le canard numéro 53 211 qui a été présenté à Votre Majesté. Ce 3 octobre 1971, nous en sommes au canard numéro 423 900. »

Cette visite historique a eu des répercussions jusqu'au pays du Soleil levant puisque, depuis, d'innombrables Japonais nous demandent de leur servir le même menu que leur empereur : quenelles André Terrail, caneton et flambée de pêches de la vallée de l'Eyrieux.

Enfin, je ne voudrais pas manquer d'évoquer le prince Wladimir Rachevsky, grand play-boy devant l'Éternel. Exilé de Russie après la révolution de 1917, comme beaucoup de ses semblables, il a fait sienne cette devise dont il se flatte d'être l'auteur : « Les Parisiens ont découvert le charme slave mais nous, nous l'avons exploité ! » Pendant des années, il ne va vivre que dans l'espoir de la mort de sa sœur aînée, afin de récupérer l'héritage, mais surtout un magnifique hôtel particulier, rue de la Faisanderie. Détestant également le reste de sa famille ainsi que beaucoup de gens qui n'en font pas partie, il va longtemps s'amuser à évoquer en ces termes son testament : « Je lègue cinq millions de dollars à Untel. Maintenant, qu'il les trouve ! »

Grand amateur de casinos, il se rend régulièrement à Monte-Carlo et à ceux qui lui demandent : « Tu pars pour longtemps ? » il répond : « Pour 5 000 francs. »

Le prince Wladimir Rachevsky, séducteur et gourmet, 1950.

Mais les princes et les rois ne sont pas, Dieu merci, les seuls à fréquenter la Tour d'Argent. Depuis un demi-siècle, j'ai régulièrement accueilli plusieurs générations de comédiens, d'écrivains, d'artistes, de poètes, de chanteurs et d'hommes d'affaires, dont la plupart sont devenus des amis très chers. Leur souvenir est souvent lié à des anecdotes nées entre nos quatre murs, même si parfois, et c'est bien normal, certains les ont attribuées à d'autres circonstances.

Je me souviens ainsi d'Ingrid Bergman inaugurant notre nouveau livre d'or en écrivant : « Je suis venue ici pour voir les tours de Notre-Dame », de Jack Lemmon célébrant chez nous son mariage, de Lauren Bacall et Humphrey Bogart qui, après avoir dégusté le 280 101ᵉ canard, ont terminé la nuit en ma compagnie, par un petit déjeuner dans un restaurant des Halles, le Pied de cochon. Je n'ai pas oublié non plus Sacha Guitry, venu à plusieurs reprises, en compagnie de ses épouses successives, Jacqueline Delubac, Geneviève de Séréville et Lana Marconi. Je n'ai jamais osé lui dire mon admiration mais je lui ai néanmoins demandé de me dédicacer quelques-uns de ses ouvrages, ce qu'il a accepté sans hésiter. Un soir, un membre de mon personnel lui a offert, sans le savoir, un joli mot d'auteur. Au dessert, il glisse au garçon qui est en train de le servir : « Appelez-moi Maître, je vous prie.

– Bien, monsieur », lui réplique aussitôt ce dernier.

Je me souviens aussi d'une soirée que Paul Claudel a passée chez nous en compagnie de l'un de ses jeunes cousins. Il était alors de notoriété publique que l'auteur du *Soulier de satin* se comptait au nombre des fidèles ennemis d'André Gide. Au dessert, lorsqu'un maître d'hôtel s'approche de la table pour servir une omelette flambée, Claudel ne peut s'empêcher de lancer à son compagnon de table : « Tu vois, c'est ainsi que Gide brûlera en enfer ! »

Je me souviens également de Charpini, qui, avec son complice Brancato, fut, dans les années trente, l'un des plus illustres fantaisistes du music-hall. Aussi gourmand que gourmet, il n'hésita jamais, vers la fin de sa vie, à vendre l'une ou l'autre des toiles de maîtres qu'il avait collectionnées au cours de sa carrière. C'était en effet la seule manière, pour lui, de s'offrir, de temps à autre, notre poularde farcie qu'il appréciait par-dessus tout.

La réputation de Paris est alors à son sommet dans une grande partie du monde. Les Américains sont ainsi très présents. En 1930, mon père l'a déjà compris puisqu'il affirme : « Tu verras, Claude, économiquement ce seront eux qui feront la loi.» Je ne compte plus alors ceux qui, arrivant par bateau au Havre, puis prenant un train pour la gare du Nord, sont accueillis et pris en charge par papa, puis, plus tard, par votre serviteur. Souvent, nous ne nous contentons pas de les recevoir à la Tour d'Argent ; nous leur servons de guide amical dans les musées, mais aussi la nuit dans les clubs à la mode. Beaucoup de nos clients viennent, en particulier, du Venezuela, du Guatemala et d'Argentine. Certains deviennent très rapidement mes amis.

Je pense en particulier à Betty Dodero, surnommée « Cadet Rousselle » parce qu'elle possède trois voitures – une Rolls, une Bentley et une Alfa Romeo –, trois avions volant chaque jour dans toute l'Europe, et trois maisons – à Biarritz, au Cap-d'Antibes et à Paris. Son mari, Alberto, est, en 1947, l'homme le plus riche d'Argentine. Il est en effet le propriétaire de tous les chemins de fer et de la plupart des compagnies de navigation. À la veille de la guerre, il rencontre Betty, alors danseuse dans une troupe de girls. Il en tombe éperdument amoureux et l'épouse quelques mois plus tard. Pendant quelque temps, elle va poursuivre son métier et devenir la femme la plus populaire d'Argentine. Un titre qui lui sera ravi par Eva Peron dont elle sera la meilleure amie. C'est d'ailleurs grâce à Betty qu'Evita va venir déjeuner, en 1946, à la Tour d'Argent. Elle est alors au sommet de sa beauté, mais, en revanche, en France, sa cote n'est pas au plus haut. Le mythe, ce sera pour beaucoup plus tard…

C'est en 1947 que Betty a découvert les charmes de la vie parisienne et s'est prise d'affection pour la Tour d'Argent. Elle se met alors à déjeuner presque tous les jours au restaurant, avec ses copines et hante, le soir venu, les plus belles réceptions parisiennes. Elle m'accorde son amitié et me demande souvent de l'accompagner, ce que je fais bien volontiers.

Betty Dodero, 1947.

Avec elle, je vais vivre ainsi des moments magiques et parfois très insolites. Un jour, au Cap-d'Antibes, nous nous rendons au château de Madrid, voisin de quelques kilomètres. Le directeur, qui a tenu à nous recevoir personnellement, m'oblige à goûter plusieurs alcools en me demandant de commenter chacune de ces boissons. Je tiens le choc mais, à la sortie, j'ai soudain le sentiment de voir, devant mes yeux, des centaines de papillons multicolores. Betty, qui m'a suivi dans cette dégustation, somnole franchement sur la banquette de sa Rolls dont, en désespoir de cause, je prends le volant.

Conscient de mon état, je m'applique à conduire prudemment en bénissant les Ponts et Chaussées d'avoir construit une route aussi large, aussi droite et aussi peu passante. Tout à coup, nous doublons quelque chose de très gros, d'où s'échappe une espèce de grondement de tonnerre. Je m'apprête à faire remarquer à ma compagne que les poids lourds devraient rouler moins vite quand je découvre sur son visage un air de perplexité. Je ressens moi-même un sentiment bizarre et impalpable. Quelques secondes plus tard, en entendant un nouveau bruit, aussi fort que le précédent, je serre prudemment ma droite. Une masse passe très vite et Betty et moi réalisons soudain que ce que nous avions pris pour un semi-remorque était en réalité un DC 3. Autrement dit, nous ne roulions pas sur une nationale ou une départementale, mais sur la piste d'un aérodrome. Comment étions-nous arrivés là et comment en sommes-nous ressortis ? Je n'ai jamais trouvé la moindre réponse à ces deux questions…

J'entretiens également des rapports très cordiaux avec Alberto, son époux. Il passe régulièrement une partie de l'été entre Biarritz et la Côte d'Azur en compagnie d'une vingtaine de joyeux lurons qui sont ses invités. Il a pour secrétaire un jeune homme qui s'appelle Aristote Onassis. Travailleur et ambitieux, il gère souvent les dossiers de son patron depuis la suite de l'hôtel George V où il réside quand il est à Paris.

Bientôt, il sera aussi reconnu qu'un autre des fidèles de la Tour d'Argent, Calouste Gulbenkian, que le monde entier appelle « Monsieur 5 % » en référence au pourcentage qu'il prend lorsqu'il sert d'intermédiaire dans des affaires dans lesquelles interviennent les

Maurice Chevalier et Rossano Brazzi, 1955 : ce dernier vient de tourner « La comtesse aux pieds nus ».

Calouste Gulbenkian, dit « Monsieur 5 % ». Une réduction que je lui accorde symboliquement à chaque visite, 1955.

Célébration du 200 000ᵉ canard, 30 mai 1949.

gouvernants de plusieurs pays. Lorsqu'il décide de venir quai de la Tournelle, il retient sa table vers 9 heures du matin et commande systématiquement un canard aux cerises en demandant au chef de « bien relire sa recette ». À la fin du repas, ce multimilliardaire met un point d'honneur à vérifier une addition sur laquelle je lui accorde symboliquement une réduction de 5 %.

Parmi mes clients figure aussi Wynthrop Rockfeller qui va me demander un jour, avec un sourire complice, si je ne vois pas d'inconvénient à accepter un chèque tiré sur « la banque de papa » . Quant au romancier James Jones, qui, grâce aux droits de son roman *Tant qu'il y aura des hommes,* a acheté un appartement près de la Tour d'Argent, il me téléphone un soir avant de venir, pour me dire :

« Claude, je n'ai sur moi qu'un chèque d'un million de dollars. Pouvez-vous me faire de la monnaie ?

– Hélas, c'est impossible, mon cher James. Mais qu'à cela ne tienne : je peux, en revanche, vous ouvrir un compte créditeur. »

Un homme encore plus fortuné, Paul Getty, m'a parfois honoré de sa présence. C'est, sans

Pierre Mendès France, le 24 mai 1957 : il avait démissionné un an avant du gouvernement Guy Mollet. Deux jours plus tôt, ce dernier vient de tomber…

conteste, l'être le plus triste et, si j'ose m'exprimer ainsi, le plus économe qu'il m'ait été donné de côtoyer. Notre première rencontre s'est déroulée à la Tour d'Argent où il était venu pour discuter plutôt que pour déjeuner. Il comptait loger à l'hôtel San Regis, longtemps dirigé par mon père, et posait comme condition que le prix du petit déjeuner soit inclus dans celui de la chambre. Bien entendu, j'ai accepté sa proposition et il m'en a été éternellement reconnaissant.

Il est revenu quai de la Tournelle quelque temps plus tard pour donner un déjeuner pour quelques intimes. Avant de passer à table, il a pris à part mon maître d'hôtel et lui a murmuré à l'oreille : « Surtout ne demandez pas les desserts. »

Vers la fin du repas, le colonel Taylor, qui s'occupait de ses affaires à Paris lui a dit : « Je pense que vous devriez donner quelque chose au maître d'hôtel. » À quoi Getty a répondu : « Pourquoi ? Il ne m'a rien donné, lui ! »

Enfin, à la veille de Noël, j'ai rencontré Marchagaël, sa « fiancée », qui s'interrogeait sur le cadeau qu'elle allait recevoir. Sans vouloir lui casser le moral, je lui ai répondu : « À mon avis, il va t'offrir encore moins que le moins que tu puisses imaginer.

– Quand même, s'est-elle exclamée, il ne peut pas faire une chose pareille ! »

Et le 25 décembre, qu'a t-elle trouvé dans ses petits souliers ? Six paires de bas de soie…

Le commandant Paul-Louis Weiller, extrêmement riche lui aussi, a été, à l'opposé de Getty, le plus fidèle mécène de la vie pari-

Charlie Chaplin
et sa femme Oona, 1952 :
ils viennent de présenter
à Paris « Limelight »,
« Les feux de la rampe ».

sienne. Pilote d'avion pendant la Première Guerre mondiale, il a connu une réussite fabuleuse en dirigeant des affaires dans les domaines de l'aviation et du pétrole. Possédant une cinquantaine d'appartements à Paris, il a logé gratuitement de ravissantes jeunes femmes débarquant en France et ne sachant pas où dormir. Capable de convier avec la même élégance une altesse, un mannequin encore inconnu, un ministre, un savant ou une starlette, il a donné des soirées mémorables, sans jamais regarder à la dépense. Un matin, au lendemain d'un souper qu'il avait organisé, chez lui, à ses frais, à l'occasion de la première de la comédie musicale *Hair*, il me téléphone et, en éclatant de rire, me dit : « Tu veux savoir la dernière ? Tu sais, toutes mes petites cuillères en vermeil pour le dessert : elles ont disparu depuis hier soir ! »

Très sportif, capable de pratiquer le ski nautique sur une jambe, à l'envers, tout en s'exerçant au bilboquet de la main restée libre, il a été brillamment élu à l'Académie des beaux-arts et a également gagné le plus insensé des paris qu'il s'était fixés : vivre jusqu'à cent ans.

Louella Parson
et Elsa Maxwell, 1952 :
les deux "commères"
américaines savent tout
et le répètent dans
d'innombrables journaux.

John Ringling North,
1963 : l'héritier de
Barnum fête le retour de
son cirque à Paris.

Richard Nixon et Helen Garland, 1963 :
il n'était plus vice- et pas encore président…

Louis Eysse, président du Club des Cent, la plus illustre association
de gastronomes, 1964.

L'abbé Renaud, curé de Saint-Louis-en-l'Île ; S.E. le cardinal Baudrillart
et Mgr Beaussart, de Notre-Dame ; L'abbé Laugier, de Saint-Nicolas-du-Char-
donnet, 1949 : de notre terrasse, ils aperçoivent tous le clocher de leur église.

À sa mort, selon son vœu, il a reçu les honneurs militaires aux Invalides. La France lui devait bien cela…

Un autre homme d'exception, Joseph Kennedy, qui fut ambassadeur des États-Unis à Londres, me rend, un soir, à la Tour d'Argent l'une de ces visites dont il est coutumier. À la fin du dîner, il me demande timidement un service :

« J'ai un fils qui va venir à Paris. Est-ce que cela vous ennuierait de le sortir, de le guider, de lui présenter quelques-uns de vos amis ? Si je vous le demande, c'est que je vous aime bien et que j'ai confiance en vous. »

J'accepte, bien entendu. Et c'est ainsi que je vais faire la connaissance de John Fitzgerald Kennedy. Je découvre un garçon brillant, extrêmement courtois, bon vivant, plein de charme et terriblement amateur de jolies femmes. À l'époque, il ne songe absolument pas à briguer la présidence des États-Unis. À peine envisage-t-il de se présenter aux élections sénatoriales. Je vais l'entraîner dans tous les cocktails et soirées où je suis convié et, rapidement, il va faire la conquête de tous mes amis, mais aussi de quelques-unes de mes amies…

Élu à la magistrature suprême de son pays, il ne va jamais avoir l'occasion de passer une soirée à la Tour d'Argent. En revanche, son vice-président, Lyndon Johnson, va nous rendre une visite tellement officieuse que nous allons être, ce jour-là, dans l'obligation de le placer à une table légèrement écartée. Dès son arrivée, je me confonds en excuses. Il

ne manque pas de s'étonner de ma réaction.
« Mais il n'y a pas de problème. Je suis fort
bien assis, la table est belle, la vue charmante.
Ne servez-vous pas les mêmes plats à toutes
les tables ? »

Nous avons également reçu Richard Nixon,
avant qu'il soit élu président des États-Unis.
Lorsque, plus tard, il est revenu à Paris, mais
en visite officielle, le protocole ne lui a pas
laissé le loisir de dîner à la Tour d'Argent.
Néanmoins, il a eu la délicate attention de
nous transmettre son amitié par la voix de
sa secrétaire personnelle, Rose Mary Wood,
venue, accompagnée de quelques proches
collaborateurs.

Quelques années plus tôt, l'URSS a également
été présente chez nous d'une manière très insolite. Monsieur Vinogradov, alors ambassadeur de l'URSS à Paris, a dîné avec celui qu'on
n'aurait jamais pu imaginer à la même table, le
prince Youssoupov, organisateur de l'assassi-
nat de Raspoutine. Ce membre éminent de la
vieille artistocratie tsariste était alors le symbole de la vieille et sainte Russie. La rencontre
avait été organisée par Serge Lifar, un danseur
qui avait fui son pays pour devenir célèbre sur
les scènes d'opéra du reste du monde. À l'ambiance tendue du départ, aux silences lourds
de sens et aux politesses compassées a fini par
succéder un climat serein, presque amical.
J'ose croire que le menu, le choix des boissons,
la chaleur et l'intimité du décor y étaient pour
quelque chose… À la fin du repas, en quittant
la salle, l'ambassadrice a fait une profonde ré-
vérence devant le prince.

Maria Callas tenant
dans ses bras Mia,
mon yorkshire,
18 avril 1957.

Anita Ekberg, 1957 : elle a été « Miss Suède » mais n'a pas encore tourné « La dolce vita ».

L'information n'est sans doute jamais parvenue au Kremlin, puisque l'ambassadeur n'a pas été rappelé...

En ces années où toute occasion est bonne pour faire la fête, la Tour d'Argent n'échappe pas à cette heureuse règle. C'est ainsi que se déroule, chez nous, le 14 octobre 1948, le souper concluant l'événement caritatif mondain par excellence que constitue à l'Opéra le bal des Petits Lits blancs. Organisée par Léon Bailby, rédacteur en chef du quotidien *L'Intransigeant*, cette fête est exceptionnelle. Toutefois, les frais sont tels et le nombre d'invités tellement important que je me suis toujours interrogé sur le montant réel des sommes perçues ensuite par l'œuvre charitable...

Quelques semaines plus tard, le Club des Cent, où se côtoient les plus fins gastronomes français, donne quai de la Tournelle son premier grand dîner d'après-guerre. Par la suite, chacune des visites de ces palais éminents va nous mettre sur le pied de guerre...

Le 18 mai 1949, c'est au tour de la Société des auteurs de nous rendre visite, le temps d'un déjeuner célébrant avec faste le 150ᵉ anniversaire de la disparition de Beaumarchais, son illustre créateur.

Ce jour-là, soixante flacons de porto, vingt-sept bouteilles de chablis et vingt et une de haut-brion 1926 vont être dégustés par une assemblée où l'on aperçoit, entre autres, Roger Ferdinand, François Mauriac, Jules Romains, Marcel Pagnol, Marcel Achard, Édouard Herriot et François Mitterrand.

C'est à cette époque également que je renoue avec une tradition chère à mes prédécesseurs : je convie à déjeuner tous les curés de Paris qui, de notre terrasse, peuvent apercevoir le clocher de leur église. Au milieu du repas, un brouhaha s'élève et le curé de Montmartre se trouve pris à partie par les autres convives. « Il a triché, s'exclament-ils en chœur. Des fenêtres de la Tour d'Argent, on ne voit pas son église ! »

Johnny Weissmuller, 1947 : il a déjà tourné sept films de « Tarzan ».

Edward G. Robinson, 1958 : le « dur » du cinéma vient de triompher dans « Les dix commandements ».

Sans se démonter, l'accusé, malicieux et imperturbable, m'a aussitôt répliqué : « Laissez-les dire. Il suffit de se hausser légèrement et je suis à peu près sûr qu'on le voit, mon clocher ! » D'autres hommes d'église vont régulièrement s'asseoir à l'une de nos tables. Parmi eux, le cardinal Spellman, archevêque de New York et Mgr Maillet, fondateur de la Manécanterie des Petits Chanteurs à la croix de bois. Un soir, ce dernier, distrait par la bonne chère, oublie la loi du sacerdoce qui veut que, après minuit, un prêtre cesse de manger afin d'être en état de dire la messe aux premières heures de la matinée. Lorsqu'il s'en aperçoit, il ne s'affole pas pour autant : il retarde aussitôt sa montre d'une heure afin de pouvoir déguster le soufflé Sainte-Geneviève qu'il avait commandé.

Ces fêtes sont éclairées, en partie, par ma plus illustre voisine, Notre-Dame. À la fin des années quarante, celle-ci, comme tous les autres monuments de Paris, n'est illuminée qu'entre mai et septembre, et, le reste du temps, les samedi et dimanche, pendant une partie de la soirée. Un soir, Gigi Cassini, alias Cholly Knickerbocker, dont les chroniques mondaines sont publiées dans cent quatre-vingts journaux américains, me rend visite quai de la Tournelle. Il m'avait si gentiment reçu à New York qu'avant de reprendre l'avion pour la France, je l'avais serré dans mes bras en lui lançant : « Quand tu viens à Paris, tu es mon invité à la Tour d'Argent. Précise-moi le jour de ton choix et, pour toi, je ferai illuminer Notre-Dame ».

Ce moment finit par arriver et, à neuf heures

Princesse Grace de Monaco, 1974 : elle m'a demandé des conseils pour constituer une cave au palais des Grimaldi.

Gina Lollobrigida et Jean-Claude Pascal, 1953 : ils sont alors les deux étoiles montantes du cinéma.

Un 14 Juillet
à Notre-Dame
vu de la Tour
d'Argent, 1949 :
les éclairages
ont été offerts
par Claude Terrail !

La leçon a servi et dès le lendemain, j'ai pris rendez-vous avec les services officiels concernés afin, le cas échéant, de ne pas être pris en défaut de manquement à la parole donnée. Les négociations ont été longues et difficiles. J'ai défendu, auprès des pouvoirs publics, la position d'un Parisien digne de ce nom : « Le monde entier parle de la "ville lumière" et vous ne payez pas les frais des éclairages ! » Finalement, j'ai accepté de prendre à ma charge, sans le moindre centime de réduction, les sommes dépensées à cet effet entre 21 heures 30 et 23 heures. Je suis aujourd'hui heureux et fier de les afficher dans mes bilans annuels. Cela me permet de rendre à Paris un peu de toutes les choses merveilleuses que cette cité m'a offertes.

Dormant peu et récupérant très vite des fatigues du service, il m'arrive alors fréquemment de prolonger mes dîners tard dans la nuit, parfois jusqu'à l'aube, dans des clubs où il se passe toujours quelque chose. Pour connaître les lieux où il ne faut alors surtout pas manquer de se rendre, je dispose du plus efficace des informateurs, Georges, barman au Ritz. Il suffit de lui poser quelques questions, tout en sirotant sa spécialité, un « dry Martini » pour ne plus rien ignorer des célébrités présentes à Paris et des fêtes fabuleuses qui se mitonnent dans les recoins les plus privés de la capitale.

Certains soirs, j'entre ainsi dans une véritable « ronde des boîtes ». Je commence vers une heure du matin au Florence à Montmartre. Il y a tellement de monde que, parfois, le chasseur est obligé d'aller jusqu'à la place de la

précises, alors qu'il commence à peine à attaquer ses quenelles, voilà que Paris se met à scintiller de mille feux avec, au premier plan, Notre-Dame plus en ors que jamais.

« Claude, c'est trop, me lance-t-il entre deux bouchées. Vraiment, tu n'aurais pas dû ! »

Je vous avoue que je suis aussi surpris que lui. J'avais, bien entendu, totalement oublié ma promesse mais, fort heureusement pour mon honneur, nous étions dimanche et c'était la ville de Paris qui nous offrait ce moment d'éclat.

Princesse Caroline
de Monaco, 1974.

Jane Wyman, première femme de Ronald Reagan, 1952.

Danielle Darrieux et Philippe Noiret, 1968 : l'héroïne d'« Alexandre le Grand » et le héros d'« Alexandre le bienheureux ».

Trinité pour ranger les voitures des derniers clients. Je me rends ensuite, en fonction des circonstances, à l'Éléphant Blanc, à l'Épi Club, au Carroll's, au Keur Samba ou au Jimmy's, un club tenu par Suzette dont le mari possède des chevaux de course. Il nous arrive aussi de nous entasser dans les cabarets russes ou de courir applaudir des revues à grand spectacle où débutent de ravissantes Allemandes ou Suédoises qui deviendront ensuite de célèbres cover-girls ou des artistes à part entière.

Dans l'un ou l'autre de ces endroits à la mode, je retrouve mes clients, mes amis, ainsi que de charmantes femmes, les plus belles de Paris sans doute, devenues mes complices les plus tendres. J'aime leur rendre l'hommage qu'elles méritent et je crois au respect des règles de la galanterie. Dès les premiers mois de ma formation, mon père m'a affirmé : « Si tu vois une femme avec un chien et qu'elle est célèbre, occupe-toi du chien autant que d'elle. Sinon tu risques de perdre la maîtresse de maison. » Une fois de plus, mon père avait raison. Les représentantes d'un sexe que l'on qualifie à tort de « faible » sont nombreuses, je le crois, à apprécier la plus élémentaire des courtoisies. À cette époque, elles apprécient visiblement ma compagnie. Pour elle, je représente alors *the real french man*. Je ne

Claude et Olivia de Havilland, 1970.

Le prince Sihanouk au cours de l'une de ses nombreuses visites, 4 février 1968.

Omar Sharif, 1962 :
il vient de tourner
« Lawrence d'Arabie ».

compte plus les fois où, à cinq heures du matin, à la sortie d'un club, j'ai pris ma moto pour faire découvrir à une délicieuse créature ce qui, à mes yeux, constituait alors le plus beau spectacle du monde : la place de la Concorde, les Invalides, et, pour finir, le Carrousel du Louvre. Parfois, la fête s'est terminée là où nous l'avions commencée, c'est-à-dire à la Tour d'Argent. Face à Notre-Dame bleuissant au point du jour, j'ai ainsi organisé de mémorables concours d'œufs sur le plat.

J'ai également parfois sacrifié, je le confesse, à une tradition aujourd'hui désuète qui consiste, si j'ose dire, à « prendre le temps de raccompagner une amie ». Un soir, un couple dîne à la Tour d'Argent. Lui, Américain, est visiblement fier de s'afficher en compagnie d'une jeune femme qui, de toute évidence, s'ennuie prodigieusement. À la fin de la soirée, le monsieur me convie à les suivre pour partager avec eux une coupe de clicquot rosé 1928 dans ses appartements du Ritz. Là, fatigué peut-être, il se retire et nous laisse seuls. Il se fait tard. Je pense qu'il est temps de prendre congé. La jeune femme se propose de m'accompagner à l'entrée, puis jusqu'à ma voiture, distante seulement de quelques pas, et enfin chez moi, parce qu'au fond, ce n'est pas si loin…

Que le temps passe vite en si bonne compagnie ! Au petit matin, je la reconduis une seconde fois dans ses appartements. Émergeant alors de son sommeil, le mari fait entendre sa voix et dit : « Chérie, il se fait tard. Viens te coucher. »

Le temps d'un « bonne nuit » complice et je suis reparti, cette fois-ci, sans être accompagné jusqu'à la porte.

J'ai également été séduit à cette époque, en tout bien tout honneur, par des Parisiennes exceptionnelles. Des maîtresses de maison qui, en recevant chez elles tout ce que la capitale comptait de célébrités, font et défont les réputations. Je pense, entre autres, à mesdames Derval, Matisse ou Vallery-Radot qui

Le maréchal Juin et son épouse, 1966.

Kirk Douglas, 1957 :
jeune marié, il triomphe
dans « Règlement de
compte à OK Corral ».
À sa droite,
Barbara Warner.

sont la séduction même. Elles m'ont toujours accordé leur confiance et je leur dois une infinie reconnaissance.

Je ne me considère pas comme un play-boy. En revanche, ce titre, très à la mode dans les années cinquante, convient parfaitement à un personnage hors du commun, dont la fidélité en amitié était légendaire, Porfirio Rubirosa. Ce séducteur-aventurier s'est retrouvé dans les situations les plus insensées, a épousé des femmes aussi belles que riches, a hanté les nuits parisiennes avant de trouver une mort stupide en écrasant sa Ferrari contre un arbre sur la route de son domicile, à Marnes-la-Coquette. Élevé dans une famille bourgeoise de Saint-Domingue, il s'est d'abord illustré en partici-

Avec mon cher
Porfirio Rubirosa, 1958.

Orson Welles, 1950 :
il m'a ouvert toutes les
portes d'Hollywood.

pant activement, en 1947, à la campagne pour l'élection de Rafael Trujillo à la présidence de la République dominicaine. Excellent cavalier, il l'avait accompagné dans un marathon à cheval qui avait duré trois mois, dormant chez l'habitant ou, le cas échéant, dans la nature. Aux liens amicaux avec le chef de l'État – également l'un des hommes les plus riches du continent américain –, se sont rapidement ajoutés des rapports amoureux avec Flore, sa fille, qu'il a fini par épouser. Il s'est lié d'amitié avec Evita Peron et a commencé à créer des bases d'échanges économiques entre Saint-Domingue, l'Argentine et l'Europe. Des projets qui ont avorté lorsque cet homme à femmes n'a pas pu s'empêcher de quitter Flore.

À l'heure du divorce, le beau-père était tellement furieux contre son gendre qu'il a tenté de le faire assassiner dans les rues de New York. À partir de cette date, Rubirosa a participé, entre autres, à une vraie chasse au trésor, échappé à une mutinerie à bord d'un bateau, puis a vécu avec des femmes plus belles et plus riches les unes que les autres. Il a fini par s'installer à Paris où nous nous sommes connus sur un terrain de polo, l'une de nos passions communes. Nous avons alors passé des nuits insensées dans des cabarets où sa seule préoccupation était de faire la fête avec ses copains. Sa force physique, son courage, sa capacité d'ingurgiter, sans ciller, d'invraisemblables mélanges de boissons étaient légendaires. Il ne parlait pas beaucoup mais dissimulait, sous une légèreté apparente, une profondeur que nous sommes quelques-uns à avoir perçue. Vers quatre heures du matin, l'homme redevenait animal et partait à la conquête de celle qui lui permettrait de ne pas rentrer seul chez lui. Des femmes toujours belles et souvent très riches.

Un jour, à Cannes, j'ai fini par lui poser la question de confiance : « Disons les choses telles qu'elles sont. La légende affirme que tu n'épouses une femme que lorsqu'elle a beaucoup d'argent. Est-ce de la médisance ou la réalité ? »

La réponse a été aussi franche qu'immédiate : « C'est très simple, mon cher Claude. Je pense souvent à tous ces petits-bourgeois qui se marient en espérant toucher une dot si faible qu'ils la dilapident en très peu de temps. Moi, en revanche, je choisis des femmes tellement fortunées que lorsque je les quitte après leur avoir fait passer des moments inoubliables, elles sont toujours aussi riches. Alors, pourquoi se priver ? »

Lorsqu'il s'agissait de faire la fête, il était également capable de toutes les folies. Un été, j'avais loué une maison à Saint-Tropez et l'avais naturellement invité. Un matin, il ancre donc son bateau dans le port et vient me rejoindre, accompagné d'un cadeau surprise : quatre musiciens brésiliens qu'il a engagés pour la semaine. Je décide aussitôt d'organiser, le soir même, une fête au rythme de la samba. Elle se termine naturellement très tard ou plutôt – soyons précis – extrêmement tôt le lendemain. Rubirosa me propose alors de faire

Jane Fonda et Roger Vadim, 1964 : j'ai été l'un des premiers témoins de leur romance.

disparaître les vapeurs de l'alcool en allant respirer l'air du large à bord de son bateau. J'accepte bien volontiers et nous voici allongés sur le pont, en train d'essayer de mettre au point un nouveau remède contre la gueule de bois : de la bière glacée additionnée d'un jaune d'œuf. Soudain, une musique très forte vient fracasser mes tempes endolories. D'une voix moribonde, je supplie mon complice d'arrêter ce maudit tourne-disque.

« Il n'y a pas de tourne-disque à bord, me répond-il en se tenant la tête à deux mains.

– Alors, arrête la radio.

– Il n'y a pas de radio non plus ! »

C'est ainsi que nous avons découvert que les quatre musiciens brésiliens nous avaient suivis à bord d'un Chris Craft et jouaient inlassablement, respectant ainsi leur contrat avec Rubirosa !

Enfin, la Tour d'Argent, ainsi que toute la gastronomie française, doit quelque chose à Porfirio Rubirosa. Lorsque nous passions quelques jours ensemble, il se mettait régulièrement aux fourneaux pour préparer l'une de ses spécialités, le steak Diane, c'est-à-dire une escalope de veau aux piments. Un jour où je l'avais accompagné à Saint-Domingue, se souvenant que j'appréciais les épices, il m'a fait découvrir, au cours d'un déjeuner, le poivre vert alors inconnu en France. J'en ai ramené et j'ai aussitôt effectué quelques tests en le plaçant sur la carte de la Tour d'Argent, en accompagnement de viandes mais surtout dans une recette que j'ai baptisée le caneton Marco Polo. Le succès a été tel que dans le monde entier, on nous a suivis. Tout naturellement, le poivre vert est ensuite arrivé sur la table d'innombrables familles, où il se trouve encore aujourd'hui.

Un autre amoureux des femmes est devenu, à cette époque, l'un de mes amis les plus proches : Orson Welles. Notre première rencontre s'est déroulée à la Tour d'Argent en 1948, très exactement à la table numéro 55. De passage à Paris, ce fin gastronome avait eu la bonne idée de choisir ma maison. Il était devenu célèbre grâce à *Citizen Kane*, un film qui avait déclenché les foudres de William Randolph Hearst, le magnat de la presse américaine dont il s'était largement inspiré pour bâtir son histoire. Ce dernier avait, en vain, tenté d'interdire la sortie de ce long métrage puis essayé, sans succès également, de racheter au prix fort tous les négatifs distribués à travers les États-Unis. Un sujet brûlant dont j'avais entendu parler à plusieurs reprises par la belle-fille de l'intéressé, Lorelle Hearst. Cette femme charmante faisait en effet partie de mes clientes et amies. Une référence que, bien entendu, je n'évoque pas en m'approchant d'Orson Welles pour le remercier de sa visite.

« *I like Paris* », me répond ce colosse encore très jeune, sportivement vêtu d'un costume en tweed mi-beige clair, mi-marron foncé : la dernière mode aux États-Unis. « Et j'aime aussi les femmes », ajoute-t-il avec un sourire charmeur. Je précise alors que je les apprécie sans doute autant que lui et, spontanément, j'ajoute : « Il en est une dont tout le monde parle en ce moment. Je ne me rappelle pas très bien son nom. Elle est, paraît-il, mariée à un original, une sorte de génie, un type complètement fou. Attendez, ça me revient. Je crois qu'elle se prénomme Rita.

– Rita Hayworth ? lance Welles, interrogatif.

– Rita Hayworth, c'est ça ! Vous la connaissez ?

– Un peu… c'est ma femme. »

Et c'est ainsi que ce qui aurait pu constituer une gaffe monumentale est devenu la base d'une vraie amitié. Avec Orson, nous nous sommes découverts tellement de sujets de conversation en commun que, à chacun de ses passages en France, nous avons passé ensemble des jours et des nuits. Avec lui, je parlais beaucoup de Paris et de ses fêtes. Il m'a rapidement avoué qu'il avait entamé, avec Rita Hayworth, une procédure de divorce, mais ne semblait pas affecté pour autant. Il m'a régulièrement tenu au courant de ses projets cinématographiques les plus chers, dans tous les sens du terme. À d'innombrables reprises, il a ainsi évoqué cet *Othello* dont la réalisation était le rêve de sa vie de personnage. J'ai ainsi découvert un homme d'une intelligence extrême, aux blessures profondes qui ne s'étaient jamais cicatrisées. On a parfois affirmé qu'il était fou à lier alors que c'était, en réalité, un grand cabot, un homme bourré d'humour qui faisait preuve de cynisme afin de préserver une solitude qu'il adorait par-dessus tout. Sa seule passion, en dehors du cinéma, c'étaient les tours de cartes, où il se montrait très adroit, et les joutes oratoires. Il était capable de tenir, avec beaucoup d'assurance, les propos les plus insensés dans tous les domaines. Il ne lésinait pas non plus en matière d'excès verbaux. Je l'ai ainsi entendu traiter le prince Bernadotte de « fin de race », ou lancer à des Suisses : « Vous avez de la chance d'avoir découvert le coucou o'clock, car depuis, votre pays n'a plus rien créé ! » Lorsque, avec mille précautions, on lui reprochait de faire du mal à ses interlocuteurs,

Le professeur Christian Barnard en 1968, quelques mois après sa première greffe du cœur en Afrique du Sud. Venu à la Tour, il reçoit des amis, parmi lesquels Daewi Sokarno.

il répondait, avec une spontanéité désarmante : « Et alors ? »

Fantasque, incapable d'arriver à l'heure à un rendez-vous professionnel et privé, peu doué pour tenir ses engagements, il s'est rapidement mis à dos la plupart des producteurs américains. C'est dommage. Ils sont passés à côté de l'un des vrais génies du siècle…

2 mai 1994 : je suis promu commandeur de la Légion d'Honneur, en présence, entre autres, de la maréchale Leclerc de Hauteclocque.

Capable de tous les excès, Orson s'est également révélé grand amateur de canulars. Les Américains l'ont découvert un jour de 1938 lorsqu'il est intervenu au micro, le temps de lire une adaptation radiophonique du roman de H.G. Wells, *la Guerre des mondes*. Il s'est montré si convaincant qu'il a aussitôt déclenché, dans les rues de New York, une panique qui est restée mémorable.

Onze ans plus tard, le 31 décembre 1949, j'ai découvert, à la Tour d'Argent, cet amour pour les plaisanteries de collégien. Ce soir-là, j'organise « la dernière nuit de Saint-Sylvestre du demi-siècle », un réveillon auquel il vient en compagnie d'un scénariste, Charlie Lederer. Tandis qu'il déguste un parfait glacé, je profite d'une accalmie pour avaler l'un de mes potages préférés, un velouté d'Île-de-France relevé à l'indienne. À peine vient-on de me servir que l'on m'annonce un hôte de marque. Aussitôt,

je pose ma cuillère pour aller l'accueillir. Soudain, j'aperçois Orson se lever doucement pour glisser une cuillerée de parfait glacé dans ma soupe. Je ne dis rien, je retourne m'asseoir pour continuer mon repas. À la première bouchée, je m'arrête et mon visage manifeste tous les signes de la consternation stupéfaite. Le plus innocemment du monde, Welles me demande ce qui se passe.

« Oh ! rien », lui dis-je, tandis que, sur un signe, le maître d'hôtel retire l'assiette qui se trouve devant moi. Je me lève et me dirige vers les cuisines. Lorsque je reviens, Orson, visiblement ennuyé, me regarde dans les yeux. « Claude, il y a quelque chose qui ne va pas. » Plus je lui précise, d'un air pincé, que tout est pour le mieux dans le meilleur des mondes, plus il insiste : « Claude, tu es mon ami, tu dois me dire ce qui se passe. » Je finis par me laisser convaincre. « Eh bien voilà, Orson. Il m'arrive… la chose la plus terrible qui puisse se produire dans cette maison. Ce potage que je connais bien, et que je tiens pour l'une des plus hautes recettes de la Tour d'Argent, n'a pas été préparé comme il le fallait. C'est pire qu'une erreur, c'est un crime. Je viens donc de me rendre dans les cuisines et signifier au chef qu'en dépit de quinze ans de bons et loyaux services et de l'attachement que je lui porte, je lui signifiais son congé. »

Tout se déroule alors comme je l'avais prévu. Orson s'affole et m'avoue la vérité. Je secoue la tête et reste inflexible. Il n'est pas question que je revienne sur ma décision. J'ajoute que je viens de faire jeter dans l'évier les cent litres de potage qui avaient été ainsi mitonnés. La quantité est pourtant invraisemblable, mais cela n'empêche pas Welles de continuer à mordre à l'hameçon. Il se lève, se rend dans les cuisines, donne l'accolade à mon chef, l'invite aux États-Unis, vide son portefeuille en lui offrant tout ce qu'il contient et jure, quoi qu'il arrive, de s'occuper de sa progéniture. Un discours en anglais qui laisse mon cuisinier totalement indifférent, puisqu'il ne parle pas la langue de Shakespeare et n'a pas encore le moindre enfant à sa charge. Il me regarde interloqué et je lui lance, discrètement, en français : « Ne t'inquiète pas. C'est encore un de ces fous d'Américains. »

À la fin de la soirée, je vais avouer à Orson Welles que j'avais tout vu et qu'à acteur, acteur et demi. Le rire tonitruant qui est alors sorti de sa gorge résonne encore aujourd'hui à mes oreilles.

Avec cet immense comédien, nous avons également effectué, en 1950, un voyage mémorable en Suède. Une soirée en mon honneur était donnée à Stockholm par Bengt Nordquist, le Fauchon suédois, et Tore Vrettman, un très grand restaurateur de mes amis. J'emmène Orson, si j'ose dire, dans mes bagages.

Nous commençons, à onze heures, par un déjeuner – c'est l'heure légale, là-bas, du repas de midi –, puis, vers seize heures, on nous conduit en voiture, vers l'extérieur de la ville. Soudain, en lisière d'une forêt, le véhicule

Raymond Barre,
un fin gastronome
à la Tour, 1985.

s'arrête. Devant nous, la route est bloquée par un mètre de neige. Qu'à cela ne tienne, quatre traîneaux auxquels se trouvent attelés de magnifiques chevaux blancs, surgissent d'on ne sait où pour nous permettre de poursuivre notre chemin. Mais ce n'est pas tout : dans chacun de ces attelages, se trouve une ravissante créature suédoise.

Fouette cocher… nous disparaissons à travers bois, soigneusement emmitouflés, la température frisant alors les quinze degrés en dessous de zéro. Un climat à peine rendu plus supportable par les immenses feux de joie allumés en notre honneur, tout au long du chemin, par des groupes de bûcherons entonnant des airs du folklore local au moment de

Bernard Blier, 1976 :
il a fêté avec nous
le 500 000ᵉ canard.

nous sommes accueillis par mon ami Bengt, en manteau et toque d'astrakan. Il retire ses gants pour me serrer la main et m'explique qu'il est heureux de me recevoir pour me prouver son éternelle amitié.

Nous allons passer une soirée réussie au-delà de toute espérance, à base de mélanges de saumons fumés, de pâtés de turbot, de perches à la suédoise, de champagne, de rhum et d'autres alcools en tout genre.

L'événement va être rapporté quelques jours plus tard dans la presse française. Je vais alors découvrir, non sans surprise, une rumeur circulant à travers la Suède : Bengt Nordquist n'aurait pas craint de mettre le feu à une forêt afin que ses hôtes puissent apercevoir les côtes de Russie. Nous avons trouvé inutile de démentir et nous avons laissé ce mini-incendie s'éteindre de lui-même…

Je ne voudrais pas clôturer ce chapitre sans évoquer une période où la Tour d'Argent est entrée dans l'histoire de la politique française. Cette histoire commence en 1951 lorsque Lorelle Hearst, qui vit à Paris à mes côtés, décide d'acheter une Silver Dawn, le dernier modèle de Rolls Royce qui peut se conduire sans chauffeur. Quelques semaines plus tard, nous commençons à l'utiliser régulièrement dans Paris et, très vite, nous nous rendons compte que nous sommes devenus la cible de toute une partie de la population. Le mot de « Rolls » suffit alors à déclencher des levées de boucliers et des protestations dont je n'avais pas imaginé l'ampleur.

notre passage. Enfin, nous découvrons dans le lointain un imposant chalet de bois dominant la Baltique, éclairé par de gigantesques flambeaux. Plus loin, à flanc de colline, d'autres torches dessinent une ligne de feu qui descend jusqu'à la mer. Devant la porte,

*Avec Romy Schneider
à la Tour, 1964.*

Très vite, l'administration fiscale, mise au courant, commence à s'en mêler. Je subis un contrôle terrifiant et je deviens, par principe, un fraudeur puisque je roule en Rolls… N'admettant pas d'être traité de la sorte, je demande un rendez-vous au ministre des Finances, Edgar Faure, qui est un vieil habitué de la Tour d'Argent. En quelques minutes, il a mesuré l'ampleur des dégâts et il convoque le directeur général des impôts pour lui demander de me laisser en paix. Lorsque ce personnage entre dans le bureau, je réalise que je tiens en lui un ennemi juré, décidé à ne pas me faire le moindre cadeau. Ça ne rate pas !

Froidement, il lance au ministre : « Si vous m'écrivez en me donnant l'ordre de clôturer ce dossier, je vous obéirai. »

Le genre de missive qu'un homme aussi habile qu'Edgar Faure ne pouvait pas, bien entendu, rédiger officiellement. Mes soucis continuent et, au comble de la rage, je vais plaider ma cause au plus haut, chez le président du Conseil en personne, Antoine Pinay. Il donne des ordres à son directeur de cabinet, Félix Gaillard. À la veille de les exécuter, ce dernier se voit poser un lapin par Lily Setton, une charmante jeune femme avec qui il devait dîner. En guise d'explication, cette dernière lui lance : « Je suis avec un garçon beaucoup plus drôle que vous. Il s'appelle Claude Terrail ! » Le hasard – ou le destin – fait vraiment très mal les choses. Inutile de vous préciser que, dès le lendemain matin, le haut fonctionnaire déchire rageusement la lettre d'intervention qu'il avait fait rédiger en ma faveur.

En désespoir de cause, j'interviens auprès d'un ami député, Frédéric-Dupont. Il trouve, comme moi, que la plaisanterie a assez duré et me dit : « Je vais interpeller la Chambre. Si je n'obtiens pas satisfaction, le gouvernement tombera ! »

Que croyez-vous qu'il se soit passé ? Mais oui… Le gouvernement est tombé ! En désespoir de cause, Lorelle a échangé sa Rolls contre une Bentley. Du jour au lendemain, mes tracas se sont terminés. Une Bentley coûte très exactement cent dollars de moins qu'une Rolls mais, de toute évidence, ce n'est pas un signe extérieur de richesse…

Avec Romy Schneider
à Bagatelle, 1960 :
une tendre complicité.

Il était une fois
mon Hollywood…

La conquête de l'Amérique en général, et d'Hollywood en particulier, c'est le rêve de chacun d'entre nous. À la fin des années 40, je n'échappais pas à la règle, sans toutefois songer à mettre ne serait-ce qu'un pied aux États-Unis. Beaucoup de mes clients et amis ne cessaient d'ailleurs de me dire : « Si vous passez par New York, venez nous voir. »

À chacun d'entre eux, je répondais que, hélas, un tel déplacement me semblait impossible. La direction de la Tour d'Argent réclamait en effet mon attention quotidienne et monopolisait toute mon énergie.

Un jour – c'était au début des années cinquante –, je décide de sauter le pas. Profitant d'une période un peu plus calme quai de la Tournelle, j'entame ce qui constitue, à l'époque, une véritable épopée. Pour traverser l'Atlan-tique, il faut en effet faire escale à Shannon, en Irlande, puis à Gander, en Terre-Neuve.

À bord de l'appareil où j'ai pris place se trouve Betty Boyd, une jeune et ravissante Américaine. Quand l'avion se pose à New York, j'aperçois, par le hublot, de nombreux photographes se précipitant vers la passerelle. Le doute ne m'effleure même pas : c'est pour moi qu'ils sont là. Je rajuste ma cravate et descends fièrement. Ces messieurs s'approchent, je prends la pose et réalise soudain qu'ils me dépassent pour aller mitrailler Betty, cover-girl numéro un de tous les magazines américains. Une leçon que je n'ai jamais oubliée…

Mes pas me conduisent d'abord au San Regis où, en dépit des promesses des uns et des autres, personne ne m'attend. Fourbu, désap-pointé, je me retrouve dans une petite chambre grise, sans le moindre lit en évidence. J'éprouve alors une furieuse envie de rentrer le plus vite possible à la maison. Je tente néan-moins l'opération de la dernière chance et je demande du secours. À l'époque, dans les grands hôtels français, j'ai l'habitude d'ap-puyer sur des boutons pour appeler une femme de chambre ou un maître d'hôtel. À New York, progrès oblige, me voici devant un

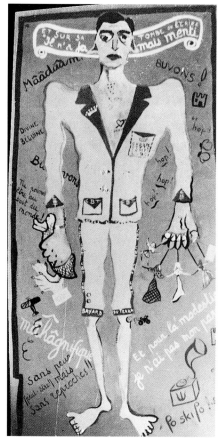

Votre serviteur vu par
Bernard Cathelin, 1946.

téléphone couvert de boutons auxquels le Parisien que je suis ne comprend naturellement rien.

Je finis par obtenir de l'aide ainsi que quelques explications. Pour me remettre de mes émotions, je décide d'aller me promener sur la Cinquième Avenue. Je découvre ainsi des gratte-ciel, des voitures qui ne cessent de klaxonner, une population pressée, à la limite de l'inhumain. Le temps de rendre visite à quelques amis fidèles et, quatre jours plus tard, je quitte cette « ville de l'an 2000 » pour me diriger vers les rivages ensoleillés et plus traditionnels de la Californie.

À l'aéroport de Los Angeles, je suis accueilli par un nain baptisé « Shorty ». Après avoir passé quelques années à dévaliser des coffres-forts, il s'est acheté une conduite en se mettant au service d'Orson Welles. Il est alors devenu son confident, son banquier, son cuisinier et son valet de chambre. Je me retrouve dans une vieille Cadillac qu'il conduit grâce à des pédales allongées afin de pouvoir les atteindre.

Deux heures plus tard, me voici à Santa Monica, installé au bord de l'océan Pacifique, dans un bungalow en bois, loué par

▲ Tyrone Power, 1952 : l'un de mes plus fidèles amis à Hollywood. ▼

Bing Crosby, 1952 : il s'apprête à tourner « Noël blanc ».

Welles, simplement décoré d'un bar, d'un sofa et de trois fauteuils autour d'une cheminée. En revanche, dans les jardins des alentours, je découvre un décor vénitien, avec des ponts dignes de passer au-dessus du Grand Canal. Au bout d'une heure, Orson arrive. Il m'explique qu'il a loué cette maison à Marion Davis, la compagne officielle de son vieil ennemi William Randolph Hearst. Puis, il m'annonce que, pour moi comme pour lui, la fête va commencer…

Pendant tout mon séjour, je vais vivre au rythme du Hollywood de légende. Considéré alors comme une immense vedette, Orson est quotidiennement invité à des projections et des cocktails où j'arrive systématiquement à ses côtés, ce qui me vaut l'honneur d'être immortalisé sur la pellicule par tous les photographes. Je me retrouve ainsi au milieu de milliers de fans, de sirènes hurlantes et de projecteurs dignes de la D.C.A. Je suis également convié à des *parties* où les plus belles femmes du monde vous embrassent sur les lèvres et vous appellent « honey », même si elles ne vous ont jamais vu. Des réceptions qui se terminent beaucoup plus tôt qu'à Paris, c'est-à-dire rarement après minuit. En effet, dès le lendemain, six heures du matin, les stars reprennent le chemin des plateaux et il n'est pas question, pendant un tournage, qu'elles affichent, sur leur visage, le moindre signe de fatigue.

Grâce à Orson, je vais côtoyer des personnages d'exception. Je mesure alors la valeur de ce privilège : à cette époque, Hollywood demeure un mythe pour les Français et très peu d'entre nous en franchissent les portes.

Je vais ensuite effectuer régulièrement de courts séjours aux États-Unis et me lier ainsi aux têtes d'affiche qui, lorsqu'elles passeront par Paris, ne manqueront jamais de venir me rendre visite à la Tour d'Argent. Je pense, entre autres, à Dany Kaye, Cary Grant, Clark Gable, Rex Harrisson ou John Wayne, devenu un ami très cher. À chaque fois que nous nous sommes retrouvés, nous avons systématiquement débouché et vidé une bouteille de champagne. Une fois la dernière goutte avalée, nous avons entamé d'interminables conversations remplies de nos mille projets d'avenir. J'ai également été reçu à Palm Springs, dans le désert de Californie, par

Lauren Bacall, 1952 : elle est venue à Paris avec Humphrey Bogart ; je lui ai fait découvrir les Halles, la nuit…

Darryl Zanuck. Travailleur infatigable, il avait pris l'habitude de consacrer les cinq premiers jours de la semaine à ses films et les deux derniers à sa seconde passion : le croquet. Je connaissais ce jeu et, tout naturellement, je me suis retrouvé au cœur de matchs endiablés où des paris importants s'engageaient entre les différentes équipes, dirigées, entre autres, par Cecil B. De Mille et un autre de mes excellents copains, Tyrone Power.

La chaleur étant insupportable dans la journée, nous avons passé des heures à nous rafraîchir autour d'un bar où notre hôte avait réuni une collection de bières à la pression provenant du monde entier. À la nuit tombée, le temps d'enfiler un chandail à col roulé sur le smoking de rigueur, et les « choses sérieuses » commençaient alors …

John Wayne, 1953 : un « homme tranquille ».

Avec Maureen O'Hara en 1952 dans un club, tard la nuit, ou plutôt, tôt le matin.

Bien entendu, tous ceux qui me convient chez eux lors de mon premier voyage tiennent absolument à me faire goûter de la « bonne cuisine française ». À l'époque, encore peu connue outre-Atlantique, elle est considérée par certains Américains comme aussi exotique que la japonaise ou la chinoise. Le premier soir, on me sert ainsi un gratin d'écrevisses absolument délicieux. À la fin du repas, je m'avance vers la maîtresse de maison pour lui dire, en toute franchise :

« De toute façon, je vous aurais complimentée sur l'excellence de votre repas. Mais il est réellement merveilleux. »

Le lendemain, dans une autre villa, on me propose un autre gratin d'écrevisses aussi réussi que le précédent. Très surpris, je réitère mon compliment de la veille. Le jour d'après et le suivant, je me retrouve exactement avec le même menu. Enfin, je me rends au Pavillon, un restaurant proche de Broadway, très à la mode, dirigé par Henri Soulé, un chef français que je connais bien. Il a débuté au Café de Paris avant la guerre, puis a participé à l'Exposition universelle de New York. Il s'est alors trouvé si heureux qu'il est resté et ne l'a jamais regretté, bien au contraire.

En arrivant au Pavillon, je retrouve Henri à qui

Rhonda Fleming et Maureen O'Hara, 1952 : deux étoiles d'Hollywood grâce à « La maison du Dr Edwards » et à « L'homme tranquille ».

j'explique que je compte inviter chez lui une demi-douzaine d'amis. Je souhaite qu'il nous mitonne sa spécialité, quelque chose qu'il fait rarement. Spontanément, il me lance :

« Pas de problème. Je pourrais vous faire un gratin d'écrevisses ! »

Ma réplique est tout aussi immédiate :

« Ce n'est pas possible, c'est un plat national !

– Pas du tout, me répond le chef. Je suis le seul à le préparer.

– Mais j'en ai dégusté un, pas plus tard qu'hier chez Mme Untel et un autre, voici quarante-huit heures, chez M. Machin !

– Je comprends tout, me dit Henri Soulé, sans parvenir à dissimuler un sourire. C'est vous le Français si gourmand dont m'ont parlé ces maîtresses de maison en me demandant de leur préparer ma grande spécialité ! »

Mon premier séjour aux États-Unis va s'achever par une soirée inoubliable dans le plus illustre des cabarets de New York, El Morocco. Souhaitant me faire honneur, Lorelle Hearst a convié des personnalités aussi illustres qu'Henry Ford, Bobo Rockfeller, Cecil Beaton, Sam Goldwin, Irving Berlin et Maria Montez. J'ai ainsi découvert un lieu unique au monde dirigé par John Perona. Chaque soir, il s'installe à la table la plus en vue, entre les deux orchestres qui se produisent en permanence, et convie, à ses côtés, les personnalités les plus importantes. Attention, personne n'est invité, même et surtout à cet emplacement privilégié ! Pour les autres, tout dépend de la bonne volonté du maître d'hôtel, sans doute l'un des hommes les plus riches de New York. En effet, pour obtenir une place conve-

A New York, Lorelle Hearst a donné une soirée en mon honneur : autour de moi, John Perona et Jack Warner, 1952.

Avec Susan Zanuck,
Fifi Fery
et Marilyn Monroe,
1952 : celle-ci débutait
à peine et détestait
le monde du cinéma.

nable, il est d'usage de lui glisser discrètement un billet de 50 ou 100 dollars. Si vous n'accomplissez pas ce geste dès votre arrivée, vous avez toutes les chances de vous retrouver à l'une des tables du fond qu'on appelle la « Sibérie ». De quoi gâcher votre soirée.

Dans ces réceptions, je vais côtoyer des femmes célèbres mais aussi d'autres, plus inconnues mais tout aussi charmantes. Un soir, je suis ainsi convié à Los Angeles, chez John Carroll, un comédien dont les moustaches rappellent furieusement celles de Douglas Fairbanks. C'est lui qui, quelques mois plus tôt, m'a présenté un extraordinaire acrobate, Tony Curtis.

Ce jour-là, le climat est très différent. Dans un moment de nostalgie, je lui ai avoué combien le charme des Parisiennes me manque et, pour me faire plaisir, il a réuni chez lui quelques cover-girls dont les charmes valent largement ceux de nos mannequins. Il commence par me présenter à chacune d'entre elles et soudain, mon regard se trouve attiré par le déhanchement terriblement aguichant d'une jolie blonde qui me tourne le dos. Je m'approche d'elle et j'entame la conversation. Je comprends rapidement qu'elle ne doit pas être classée dans la catégorie des intellectuelles. Je ne m'en éloigne pas pour autant, son corps harmonieux lui valant toutes les excuses. Au cours de la soirée, j'apprends ainsi qu'elle vit très bien de ses photos et qu'en dépit de propositions très alléchantes, elle refuse systématiquement le moindre rôle au cinéma. Ce métier ne la tente absolument pas. Elle habite dans un studio au cœur d'un quartier modeste, possède une Chevrolet d'occasion et s'en contente très bien.

Nous allons nous revoir, elle et moi, à plusieurs reprises. Je vais souvent aller la chercher à la sortie du studio et l'emmener dîner au Captain's, le restaurant à la mode. Notre aventure va se conclure par un merveilleux week-end à Las Vegas.

Deux ans plus tard, de passage à Hollywood, je suis invité à une party donnée par Jean Negulesco, un réalisateur d'origine roumaine. Sur le ton de la confidence, il me dit, avec son accent de Bucarest roulant fortement les « r » : « Tu vas voir. J'ai invité une star. Elle est divine. »

Quelques instants plus tard, la porte s'ouvre et la « créature » apparaît. Je la reconnais aussitôt : c'est la cover-girl qui ne voulait pas entendre parler de cinéma. Je me précipite vers elle, heureux de la retrouver, et je tombe dans ses bras. Surpris, Negulesco me lance :

« Claude, je ne savais pas que tu connaissais déjà notre future vedette !

– Une vedette ? dis-je avec un sourire amusé.

– Mais oui, elle sera bientôt une grande étoile. Elle s'appelle Marilyn Monroe ! »

J'apprends alors qu'elle a posé pour un calendrier qui a bouleversé sa carrière et qu'elle n'est plus aussi insensible qu'avant au carnet de chèques des magnats hollywoodiens. Est-ce une bonne chose pour elle ?

Je n'en suis alors pas certain et, hélas, les événements me donneront raison. Hollywood s'en est emparé comme d'un produit, sans tenir compte de sa sensibilité très forte. Quand je l'ai retrouvée ce soir-là, elle avait déjà perdu une partie de cette spontanéité, de cette inno-

Paulette Goddard :
elle n'est muette qu'au cinéma…

cence qui m'avaient particulièrement séduit. Le lendemain, nous nous sommes retrouvés pour grignoter un sandwich et nous rappeler le bon temps. Je lui ai fait jurer de venir à Paris, à la Tour d'Argent, et nous avons pris un rendez-vous de principe : « Je viendrai te voir dès la fin du tournage du film que je commence bientôt », m'a-t-elle assuré.

Prise dans un engrenage dont elle ne mesurait pas la portée, elle n'a jamais tenu sa promesse. Depuis, je pense souvent à elle. Sa mort prématurée m'a bouleversé. Je suis sûr que, enfermée dans un système où elle n'était plus elle-même, elle est, petit à petit, devenue malheureuse, désemparée. Elle rêvait que quelqu'un l'aime pour elle-même et pas pour l'image qu'elle représentait. À partir d'un certain moment, c'est devenu quasiment impossible.

Ava Gardner : je lui ai préparé le plus mauvais steak de sa vie…

Au cours de mes séjours à Hollywood, on m'a prêté de nombreuses idylles, plus ou moins exactes. J'ai ainsi appris par la presse que j'étais fiancé avec la danseuse Gwen Verdun, ce qui était faux, et que je vivais une romance avec Rhonda Fleming, une rousse flamboyante unanimement considérée comme l'une des plus belles femmes d'Amérique. Je dois avouer que dans ce dernier cas, l'information était loin d'être erronée. J'ai effectivement passé plusieurs soirées à ses côtés dans sa villa de Beverly Hills. Régulièrement, un bruit de moteur de voiture interrompait notre intimité. Intrigué, j'ai fini par lui en demander la raison. « Ce n'est rien, Claude, m'a-t-elle répondu. C'est seulement mon fiancé – le vrai ! – qui tourne autour de la maison pour savoir si vous êtes encore là ! »

Ma plus belle histoire d'amour hollywoodienne, je la dois à cette femme exceptionnelle qu'était Ava Gardner.
Notre aventure commence à Paris, à la Tour d'Argent. Un soir, vers 23 heures, une voix féminine demande à me parler au téléphone.
« De la part de qui ? demande tout naturellement ma standardiste.
– Ava Gardner. »
Je prends la communication, persuadé qu'il s'agit d'une mauvaise plaisanterie.
– Est-il encore possible de dîner ? demande ma correspondante.
– Mais bien sûr, dis-je, sans croire un instant qu'il s'agit de la star.

Les plus grands
chroniqueurs américains,
1952.

– Très bien. Je serai là dans une demi-heure. Dois-je commander dès maintenant ?

– Ce n'est pas indispensable, nous verrons cela dès que vous arriverez. »

Persuadé que je n'entendrai plus jamais parler de cette histoire, je retourne dans la salle où, vers 23 h 30, mon directeur me fait prévenir : elle est là ! Ce n'était donc pas une blague.

Mon sang se glace dans mes veines lorsque je la vois apparaître à la sortie de l'ascenseur. Accompagnée d'un couple d'amis américains, elle s'installe à une table et me dit simplement : « Vous souvenez-vous de moi ?

– Mais bien entendu. Je me rappelle très exactement votre dernière visite, ici, avec Frank Sinatra. »

Avec Walter Pidgeon, le chanteur devenu comédien, entré dans la légende
avec le film « Qu'elle était verte ma vallée », 1953.

Jane Mansfield : je l'ai
« kidnappée » un soir
au Saint-Hilaire.

J'abrège la conversation pour me rendre en cuisine où règne une ambiance de fin du monde. À cette heure tardive, il n'y a plus un seul mitron aux fourneaux. Elle commande un filet sauté aux herbes. Je n'hésite pas une seconde. Pour patienter, je lui propose un peu de saumon fumé. Pendant qu'elle le déguste, mon maître d'hôtel et moi-même faisons cuire sa viande.

À la fin du repas, elle me dit, en affichant son sourire le plus charmeur : « Claude, je vais vous confier quelque chose. C'est le plus mauvais steak que j'ai mangé de ma vie. »

Je n'hésite pas une seconde et lui avoue la vérité, rien que la vérité, votre honneur ! Elle ne peut s'empêcher de rire et je sens que je suis acquitté. Pour me faire pardonner, je l'invite,

avec ses amis, à boire un verre au Jimmy's. Le couple décline l'invitation, mais elle l'accepte volontiers.

Nous poursuivons donc en tête à tête la soirée au Saint-Hilaire, chez François Patrice, puis elle m'offre un verre dans son appartement du George V. Nous nous promettons de nous revoir le lendemain et nous tenons avec bonheur notre parole.

C'est ainsi que naît une romance tout à fait délicieuse avec un être hors du commun. Ava est aussi belle qu'intelligente. Lorsque je lui raconte quelque chose, elle a l'habitude de reprendre, en remuant les lèvres, toutes les paroles que j'ai prononcées. Elle les mémorise ainsi instantanément et si, à un moment ou à un autre, je reviens sur le sujet en tenant des

Claudette Colbert,
la « petite Française »
qui a réussi aux États-Unis,
août 1952.

Art Buchwald, le plus brillant des chroniqueurs américains, 1954.

propos exactement opposés à ceux de la première fois, elle me le fait remarquer avec autorité. C'est dans ce genre de circonstances que l'on s'aperçoit que, sans prévenir, l'ange peut devenir démon.

Nous commençons à nous voir très régulièrement à Paris et, ensuite, je la rejoins en Espagne et en Angleterre où elle travaille. Nous allons ainsi passer des week-ends amoureux parfois très animés. Une nuit, à Marbella, elle croit apercevoir un photographe dans le jardin. Sa phobie de ce qu'on n'appelle pas encore les paparazzi est telle que nous devons plier bagages sur-le-champ, avec femme de chambre et chauffeur, et filer sur Séville. En route, histoire de se remettre de ses émotions, elle avale un thermos de gin et, à l'arrivée à l'hôtel Alphonse XIII, elle réclame des chanteurs de flamenco. Le réceptionniste, un peu gêné, lui répond qu'ils dorment

tous depuis longtemps. Elle demande alors une chambre et comme il n'y en a pas de disponible, elle s'installe sur un canapé du hall où elle s'endort aussitôt.

Je me souviens aussi d'une nuit dans une auberge à Montfort-l'Amaury. Elle s'assoit un peu violemment sur un lit à baldaquin très ancien qui ne supporte pas cette charge brutale. Lorsque le baldaquin lui tombe sur la tête, elle crie au scandale et au meurtre en affirmant que j'ai voulu la défigurer. Je ne dis rien et attends qu'elle se calme, ce qui ne tarde pas à arriver.

C'est à Waikiki, près d'Honolulu, que la situation va réellement commencer à se dégrader. Jusqu'à dix-sept heures, j'ai à mes côtés une femme merveilleuse, charmante, adorable, passionnée de tennis et de natation. Lorsqu'elle entame son premier verre d'alcool local, le Maïta, je pressens le pire et il arrive,

Une soirée « Hula Hoop »
à la Tour, 1959 :
Barbara, ma femme,
se montre experte dans
ce « sport » à la mode.

Fin de soirée
au Casanova, 1954.

comme le petit poucet ses cailloux. Elle m'avoue alors ce que j'ai déjà compris : si elle sombre aussi régulièrement dans l'alcool, c'est parce qu'elle ne s'est jamais vraiment remise des souffrances amoureuses qu'elle a endurées avec Frank Sinatra, mais aussi parce qu'au plus profond d'elle-même, elle n'accepte pas son statut de star. En réalité, elle rêve de devenir une femme comme les autres, de mener une vie simple et de se sentir en sécurité auprès d'un homme. C'est absolument impossible : elle est Ava Gardner et doit assumer son personnage bien au-delà de l'écran.

hélas, presque toujours. Il suffit qu'elle se serve deux ou trois fois de suite pour que la situation tourne à la paranoïa. Elle se met à écouter des disques de Frank Sinatra et lui parle comme s'il se trouvait là. Elle critique, à haute voix, sa façon de chanter, puis le cherche dans l'appartement. Après avoir vu des fantômes partout, elle saute en voiture, ou, pire encore, monte à bord du premier radeau venu en affirmant : « Je m'en vais en Chine. » Elle ne se rend pas compte, bien sûr, que nous sommes à plus de quatre mille kilomètres de ce pays.

Vers trois heures du matin, elle redevient une femme calme et gentille et commence à rédiger, à mon intention, des petits messages d'amour qu'elle sème dans l'appartement

Un soir, n'en pouvant plus, je lui lance : « Vous êtes une névrosée, une alcoolique, je m'en vais. » Je quitte aussitôt la villa et décide d'aller m'installer au Royal Hawaïan Hotel. Une fois dans ma chambre, je passe un coup de fil à un ami qui se trouve à Hollywood, mais la communication se trouve brutalement interrompue par un téléphoniste.

1964 : une soirée à la Tour se prépare comme
une représentation de théâtre.

J'entends presque aussitôt la voix d'Ava qui me dit :

« Claude, je suis désolée. Revenez, je vous en prie.

– Non ! Je n'en peux plus, vous avez tous les défauts de la terre. »

Je raccroche et demande un numéro à New York. À peine ai-je obtenu mon correspondant que le manège recommence :

« Claude, j'exige que vous reveniez.

– Non ! Vous êtes folle… folle à lier, mais pas à me lier ! »

Une demi-heure plus tard, le téléphone sonne à nouveau. Cette fois, c'est le directeur de l'hôtel. Il est navré de me déranger et demande s'il peut me voir tout de suite. Je n'y vois aucun inconvénient et, quelques instants plus tard, il entre dans ma chambre accompagné de deux solides musculatures que j'identifie aussitôt comme les détectives-gorilles de l'établissement. « Monsieur, me dit-il gêné, je suis dans l'obligation de vous demander de quitter cet hôtel immédiatement. Veuillez me dire où vous désirez vous rendre… à nos frais, bien entendu. »

Je comprends aussitôt l'origine de sa démarche. J'ai à peine le temps de boucler mes

Suzy Volterra, 1964 : une reine de Paris…

La soirée Barnum : le décor est en place, 1963.

Une carte de vœux adressée à mes amis, 1949.

valises et me voici reconduit à l'ascenseur. Bien encadré, je traverse le hall devant des touristes ébahis et, à la sortie, je suis fermement poussé dans une immense limousine noire. Sur le siège arrière, un verre dans une main, un fume-cigarette dans l'autre, Ava m'attend.

« Êtes-vous convaincu, maintenant ? me dit-elle d'une voix profonde.

– Convaincu de quoi ?

– Convaincu qu'ici, on ne peut rien me refuser. » Au départ, j'étais persuadé que notre aventure n'allait pas passer le cap des quarante-huit heures. Elle s'est finalement poursuivie pendant presque une année. Douze mois de moments volés, de courses folles pour échapper aux photographes qui nous traquaient, pendant lesquels nous nous sommes souvent disputés et toujours réconciliés. Un jour, je l'ai accompagnée à Hollywood où elle devait subir une légère intervention chirurgicale. Je suis ensuite rentré à Paris, persuadé que, cette fois-ci, c'était terminé. Elle avait fini par accaparer une bonne partie de mon temps et je savais que si cela continuait, je n'aurais plus l'énergie suffisante pour diriger la Tour d'Argent. Elle m'a téléphoné à plusieurs reprises mais je ne l'ai jamais prise en ligne. Elle a compris et n'a plus insisté. Un jour, elle est venue déjeuner quai de la Tournelle avec une amie. J'étais absent et, à la fin du repas, elle a appelé le maître d'hôtel pour lui dire : « Vous présenterez la note à Claude Terrail. »

Aujourd'hui encore, je pense souvent à elle. Incontestablement, elle est la femme qui m'a

Le cheval et son amazone : l'attraction vedette de la soirée Barnum.

le plus marqué. Devais-je la quitter comme je l'ai fait ? En mon âme et conscience, il n'y avait pas d'autre solution. Comme l'a écrit Sacha Guitry, mon maître : « C'est dans la fuite que l'on peut sécher ses chagrins. »

Quelque temps plus tard, je me retrouve avec des amis au Saint-Hilaire, chez François Patrice. La jeune femme qui m'accompagne ce soir-là décide d'aller se coucher. Je la raccompagne à un taxi, donne des instructions au chauffeur et reviens dans le club auprès de mes autres copains. J'aperçois soudain, de dos, une très jolie fille. Je me penche et lui murmure à l'oreille : « Je crois que vous n'êtes pas avec les bonnes personnes. » Je me présente et elle me dit son nom : Jane Mansfield. Nous commençons à bavarder et je finis par lui dire :

« Nous pourrions peut-être aller dans une autre boîte ?

– D'accord, me répond-elle. Mais comment fait-on ?

– C'est très simple. Je vais aller chercher ma voiture. Pendant ce temps, vous vous levez, vous dites que vous êtes fatiguée, vous sortez et je vous retrouve devant la porte. »

Aussitôt dit, aussitôt fait. Nous nous sommes rendus chez Castel où j'ai rapidement découvert et apprécié, derrière l'image de la star, une grande et superbe femme très simple, malgré ses cheveux platinés, au corps harmonieux qu'elle savait mettre en valeur avec un véritable génie. Nous étions bien loin de la légende hollywoodienne de la blonde explosive nous faisant découvrir sa maison rose bonbon

et sa piscine en forme de cœur !

Jane m'a rapidement démontré qu'elle était la gentillesse même. Un jour que je me rendais au chevet de ma mère malade, elle m'a spontanément accompagné puis attendu dans ma petite Austin, la tête légèrement baissée afin que les passants ne la reconnaissent pas.

Je l'ai ensuite accompagnée au festival de Cannes où, selon son habitude, elle est descendue au Carlton. Elle était alors encore

mariée à Mickey Hargity, un ex-« Monsieur Muscle. » Apprenant ma présence et se trouvant lui aussi sur la Croisette, il n'a pas résisté à cette possibilité de se faire un peu de publicité à moindre frais.

Je venais de défaire mes valises lorsque le réceptionniste me téléphone pour me passer le message suivant : mon « rival » m'attend au bar de l'hôtel pour avoir une « petite conversation » avec moi. Je descends sans hésiter et découvre un homme à la carrure impressionnante et au regard qui en dit long sur ses intentions. Je fonce vers un tabouret où je m'installe, décidé à ne plus bouger. Orson Welles m'a appris qu'aux États-Unis, on ne frappe pas un homme assis : j'espère qu'il en est de même en France ! Effectivement, à plusieurs reprises, il insiste pour que je me

Une soirée costumée à la Pagode.

lève et le suive dans la rue. À chaque fois, je réponds avec un sourire naïf : « Pourquoi devrais-je me lever ? Je suis très bien où je suis. »

Jane, que j'avais fait prévenir discrètement, arrive enfin dans le bar. Elle se précipite vers mon rival et commence à le traiter de tous les noms. Aussitôt la brute se transforme en brebis et, fort heureusement pour moi, il s'éclipse sans insister. Nous nous sommes régulièrement revus, Jane et moi, avant qu'elle disparaisse prématurément elle aussi, dans un accident de voiture. Un jour, elle me téléphone de New York et me dit, folle de joie : « Claude, j'arrive après-demain. J'ai acheté une Rolls en Angleterre plutôt qu'aux États-Unis. Comme ça, je pourrai la conduire entre Londres et Paris. »

Je n'ai pas pu m'empêcher de sourire en écoutant ses propos. Elle ignorait tout simplement qu'entre l'Angleterre et la France, il y avait une grande flaque d'eau qu'on appelle la Manche…

Vous l'avez compris, je faisais alors partie de la race des célibataires endurcis. Je n'éprouvais pas l'envie de créer une famille et je considérais la Tour d'Argent comme la femme de ma vie, l'objet de mes préoccupations de tous les instants. Un jour, l'un de mes proches me met la puce à l'oreille : « Claude, me dit-il, tu as maintenant trente-huit ans et tu arrives à l'âge où tu devrais choisir une épouse. Si tu ne te décides pas maintenant, après, ce sera trop tard. »

Je réfléchis pendant quelques jours et finis par me dire qu'après tout, il n'a pas tout à fait tort. Le problème est posé, certes, mais la solution n'est pas évidente. Quelle femme pourrait accepter de partager, sans la moindre jalousie, un homme avec une autre dame, même si celle-ci s'appelle la Tour d'Argent ? De fil en aiguille, je finis par penser à une jeune fille rencontrée au Cap-d'Antibes, qui m'a séduit et impressionné. Elle se prénomme Barbara et son père, Jack Warner, est l'un des rois d'Hollywood. Élevée en Suisse, parlant un excellent français, elle est très sportive et ressemble à une sirène. Ce qui m'a également d'abord surpris en elle, c'est sa façon de goûter, sans ciller, chaque cocktail avant de le proposer aux invités.

Jack Warner, mon beau-père : le plus célèbre des producteurs d'Hollywood.

Le toast de la fête.

À force de réflexions, je finis par me prendre au jeu. Après tout, pour quelqu'un comme moi qui évolue dans un univers international et possède de plus en plus d'amis en Amérique, elle correspond assez à la femme idéale. Je commence par lui faire la cour et, ma foi, ça n'a pas l'air de lui déplaire. Tout cela se termine, en 1955, par un mariage intime en Virginie, puis à Paris, avec l'accord, bien entendu, d'Anouchka, ma belle-mère et de mon beau-père, Jack Warner.

Je dois beaucoup à ce dernier, et pas seulement parce que j'ai été son gendre pendant quelques années. La Californie m'a en effet adopté du jour où ce grand patron du cinéma américain m'a invité à dîner à Beverly Hills. J'ai ainsi découvert Angelo Drive, la plus belle maison d'Hollywood, aussi gardée que Fort Knox, entourée d'un parc où se trouve aménagé un golf à neuf trous. Dans cette villa où les plus grandes stars se côtoient régulièrement, j'ai dîné, pour la première fois, entre Gary Cooper et John Wayne. Fidèle de la

Tour d'Argent et connaissant notre tradition du canard, Jack Warner a trouvé, ce soir-là, très amusant de me faire servir un gigantesque T. Bone steak accompagné d'une carte ainsi libellée : « Ceci est le bœuf numéro 123 de mon ranch personnel. »

Warner a débuté comme apprenti boucher avant de devenir un cordonnier renommé grâce à un slogan sorti de son imagination : « Le temps de lire votre journal et vos souliers sont ressemelés. » Ensuite, avec ses frères, il s'est lancé dans le cinéma avec le succès que l'on sait.

Sa passion du septième art est telle qu'il a fait aménager, dans un coin de sa propriété, une immense salle de projection dans laquelle il est de tradition de s'installer, après le café, pour voir le dernier long métrage dont il est naturellement le producteur. Impossible d'y échapper, je le sais, j'ai essayé ! Un soir, j'ai tenté de m'esquiver pour rejoindre Dany Kaye chez des amis. Un gardien m'a rattrapé et a téléphoné à Warner afin de vérifier que j'avais le droit de sortir ! La réponse a été formelle :

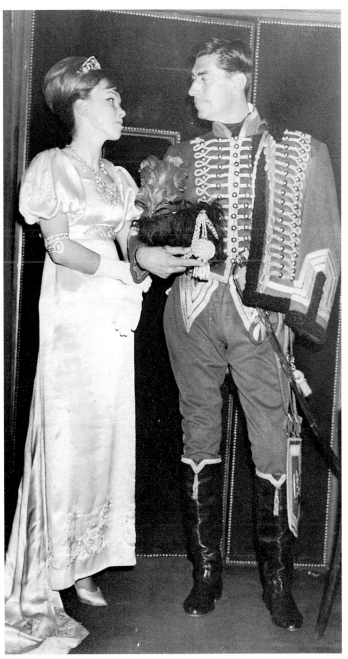

La fête continue…

« Pas question qu'il s'en aille avant la fin du film ! » Aussitôt, on m'a reconduit, mais avec tous les égards, au milieu des autres invités.

Jack Warner m'a un jour avoué qu'il considérait Errol Flynn comme son acteur préféré. Ce dernier possède effectivement un immense talent, mais n'est pas facile à gérer. Il se montre parfois odieux avec son patron, qui n'en prend pas ombrage.

« Si jamais il y a un problème, dit Warner, il ne voudra plus travailler avec moi. La perte du chiffre d'affaires serait tellement énorme que je préfère en passer par ses caprices ! »

De temps à autre, le producteur se venge. Ainsi, un soir, au cours d'un dîner chez les

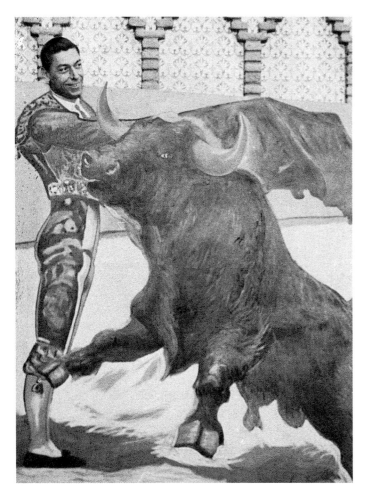

Warner, un maître d'hôtel va martyriser Errol Flynn en lui servant les moins bons morceaux, en lui retirant intempestivement son assiette avant qu'il ait fini et même, en l'empêchant de tenir tendrement la main de sa voisine ! En réalité, il s'agit d'un canular et ce serveur est un vieux comédien spécialement engagé pour la circonstance.

En apprenant la vérité, Errol a bien ri. Il n'est pas allergique aux blagues, bien au contraire. J'en veux pour preuve l'aventure qui m'est arrivée au Beverly Hills Hotel, où nous devions nous retrouver avant d'aller passer une journée ensemble. Arrivant dans ma chambre, je trouve un message ainsi libellé : « Désolé Claude, je suis encore en train de tourner, je ne pourrai pas vous accueillir, je vous appellerai plus tard. »

Étant spécialement venu de Paris pour la circonstance, j'éprouve alors un sentiment à mi-chemin entre la déception et la colère. Nous avions réservé cette date depuis longtemps avec l'arrière-pensée de vivre, en même temps, un moment heureux auprès de créatures de rêve. Si ça se trouve, je ne vais même pas l'apercevoir ! Autrement dit, j'ai fait tout ce voyage pour rien. Je me jette dans la salle de bains et me fais couler un bain chaud, histoire de me calmer. À ce moment-là, on frappe à la porte du bungalow qui m'a été réservé. D'un ton exaspéré, je m'exclame : « Entrez ! » pensant qu'il s'agit d'une femme de chambre souhaitant ouvrir mon lit. Ma surprise est immense lorsque j'aperçois, dans l'entrebâillement de ma porte, une fille de rêve. Elle est blonde, vêtue d'un tailleur du dernier chic et porte, comme c'est alors la mode, un chapeau, des gants blancs, des talons hauts et un petit collier de perles autour du cou. Je marque un temps d'arrêt et lui propose de s'asseoir. Sans autre préambule, elle s'exclame : « Il fait un peu chaud ici »…

Elle commence à enlever son chapeau, ses gants et ses chaussures. Je vous laisse imaginer la suite ! Subjugué par ce corps parfait et ces jambes qui n'en finissent pas, je suis incapable de prononcer la moindre parole. Enfin, elle retire son soutien-gorge et se retourne. Je découvre alors que, dans son dos, il est écrit au marqueur : « Avec les compliments d'Errol Flynn. » J'éclate de rire. Quelqu'un frappe à nouveau à la porte et entre sans attendre ma réponse : c'est Errol, ravi du bon tour qu'il vient de me jouer par l'intermédiaire de l'une de ses copines. « Welcome Claude ! » dit-il en préambule d'un week-end qui, je l'avoue, fut mémorable…

Revenons à Jack Warner, qui affiche une autre passion, celle du jeu. Lorsqu'il pénètre dans un casino, à Cannes ou à Monte-Carlo, le premier mot qu'il prononce, c'est : « Banco ». Il est, à ma connaissance, le seul homme qui continue à rire lorsqu'il perd à la roulette ou au chemin de fer. Un soir, je l'ai vu tellement absorbé par la partie qu'il a introduit son cigare dans sa bouche par le côté allumé. S'apercevant de sa bévue, il s'est exclamé : « Je crois que j'ai fait mon jeu à l'envers. »

Quelque temps après mon mariage avec Barbara, il est victime, sur la Côte d'Azur,

d'un grave accident de voiture. Sa notoriété est telle que le responsable d'une clinique privée des environs refuse de le prendre en charge de peur que sa mort constitue une très mauvaise publicité pour l'établissement. À l'hôpital des Broussailles, à Cannes, où il est enfin soigné, je vais le voir passer du coma au délire et raconter, pendant trente-six heures d'inconscience, le scénario d'un film qu'il s'apprêtait à produire.

Bien entendu, après l'annonce de l'accident et du décès probable du magnat du cinéma, les actions de la Warner tombent en chute libre. Retrouvant, par miracle, peu à peu ses esprits, mais ne le faisant savoir qu'à

Incroyable et (pas) vrai…
Des photomontages très réussis.

*Je surveille
les ultimes
préparatifs…*

quelques intimes, Jack fait acheter des actions par son valet de chambre. Au lendemain de la bonne nouvelle de sa guérison, la
cote de son empire remontant aussi vite
qu'elle était descendue, il revend ses actions
avec un confortable bénéfice. Après avoir

remercié le docteur qui l'avait sauvé en lui
offrant généreusement un service de médecine, il va cultiver le nouveau bonheur sur-
venu quelques semaines plus tôt, la naissance de notre fille, Anne-Jacqueline. Il avait
alors déclaré : « Pour la première fois de ma

*Exceptionnel :
je suis en cuisine !*

vie, après avoir fait tellement jouer les autres,
je joue à mon tour un rôle : un vrai, sans
doute le meilleur : celui de grand-père. »
De mon côté, je découvre alors les responsabilités de la paternité, ainsi que ses angoisses.
La première d'entre elles, je vais la vivre au
lendemain de la naissance de notre enfant.
Barbara me téléphone à la Tour d'Argent et
me demande de la rejoindre immédiatement
à l'Hôpital américain de Neuilly. Inquiet,
j'arrive les bras chargés de fleurs et je demande à ma femme la raison de cet appel urgent.
Avec le plus grand sérieux, elle me déclare
alors sur le ton de la confidence :
« Anne parle !
– À son âge ! Mais c'est incroyable ! Et qu'est-
ce qu'elle dit ?
– Oh ! pas grand-chose. Juste un mot.
– Lequel ?
– Maxim's ! »

Fin de soirée, boîte de nuit.

« Madame est servie ! »

Faisons un rêve...

Septembre 1997 : le compte est facile à faire. Voilà un demi-siècle que mon père, disparu en 1954, m'a fait confiance en me donnant la barre de ce navire et aujourd'hui, plus que jamais, à la Tour d'Argent, la fête continue, dans le respect des règles du luxe et de l'élégance.

Dans l'appartement du quai de la Tournelle où je me réveille chaque matin, sont accrochés au mur ou soigneusement rangés dans des classeurs les souvenirs de cinquante années de rêve. Feuilletons ensemble, si vous le voulez bien, cette armoire aux souvenirs…

Retournons d'abord avenue George V, à l'emplacement de l'hôtel particulier de mon père où j'ai passé mes jeunes années. C'est là que, dans les années cinquante, j'ai ouvert les Caves de la Tour d'Argent. Pendant une décennie, elles ont été, l'après-midi comme le soir, le rendez-vous du

Tout-Paris. On y a vu la « Môme Moineau » y étrenner ses nouveaux diamants, toujours plus gros les uns que les autres, et des dames aux chapeaux couverts de plumes colorées qui ont valu à mon établissement le surnom de la « Volière ».

En 1953, j'ai également créé, au 2 place des Vosges, un restaurant à la gloire du Vert-Galant, baptisé Marc-Annibal de Coconnas. Un lieu dédié avant tout à la poule au pot et à la gloire des demoiselles Tatin. Tout près de là, depuis 1980, se trouve également un autre établissement dont je suis responsable, la Guirlande de Julie.

En 1956, rue Pierre-Charron, ce sont les salons de l'Orangerie que j'ai lancés, avec la complicité de Bernard Cathelin qui a également été à l'origine de la nouvelle ambiance de la Tour d'Argent. Un décor où, en 1961, nous avons fêté notre 300 000ᵉ canard.

Les prix Nobel à la Tour, octobre 1983 : la plus belle affiche de l'esprit.

Prénommé Gontran, il a été dédié à mon ami Porfirio Rubirosa. Pour mémoire, le 200 000ᵉ avait été dégusté le 30 mai 1949. Le premier caneton « Marco Polo » est arrivé sur les tables en 1961, et notre 500 000ᵉ volatile a été sacrifié le 17 mars 1976. Les cuisines ont été entièrement refaites en 1979 et, en 1982, nous avons dignement célébré notre quatrième centenaire par des festivités exceptionnelles : quatre grandes réceptions en moins de huit mois ! En 1983, autre moment historique, nous avons reçu, dans un salon, la plus belle affiche de l'esprit que l'on puisse imaginer : des lauréats du prix Nobel. Le 24 août 1994, je n'ai pas manqué de commémorer les cinquante ans de la Libération de Paris, en présence, entre autres, de la maréchale Leclerc de Hauteclocque, de Pamela Harriman, ambassadeur des États-Unis, de

Jacques Chirac, alors maire de Paris, et de Philippe Peschaud, président des anciens de la deuxième D.B. Enfin, en 1995, au cours d'une soirée, nous avons rendu à la femme l'hommage qu'elle mérite…

Les caves, démurées depuis la fin de la guerre, n'ont pas été oubliées non plus dans ce renouvellement permanent. En 1964, un son et lumière a été créé pour accompagner leur visite et, en 1987, un nouveau dispositif scénique ultra-moderne a été mis au point. Chaque jour, afin qu'elle accueille les meilleurs vins, trois personnes recherchent pour nous les meilleurs crus avant qu'ils ne soient mis en bouteilles. Une fois par mois, à l'issue d'une présélection extrêmement rigoureuse à laquelle je participe, nous commandons les nouveaux trésors qui viendront enrichir notre table. Selon mes calculs, elles possèdent actuellement 498 799 flacons, dont la valeur d'ensemble est estimée à près de cent dix millions de francs.

Depuis un demi-siècle, j'ai également beaucoup voyagé, afin de permettre à la Tour d'Argent de rayonner dans d'autres pays. En décembre 1962, je me suis rendu au Québec et, trois ans plus tard, pendant toute une semaine, nous avons envahi, avec succès, les cuisines du Mirabelle à Londres.

En 1970, j'ai créé à New York, un petit frère de la Tour d'Argent, baptisé La Seine et, en 1984, une Tour d'Argent-Tokyo a ouvert ses portes. Douze mois plus tard, à Paris, j'ai installé, juste en face de notre immeuble, les Comptoirs de la Tour d'Argent. Dans cette boutique, on peut aujourd'hui se procurer les produits que nous utilisons mais aussi divers souvenirs, du canard en porcelaine à la cravate, en passant par ces couverts et ces cendriers qu'il n'est pas courtois de glisser dans son sac ou dans sa poche lorsque l'on dîne au restaurant…

Enfin, à côté, depuis 1989, trône un établissement beaucoup plus modeste, un bistrot qui a trouvé un public fidèle, la Rôtisserie du Beaujolais.

Sachez enfin que j'ai innové en 1971 en proposant aux dames et aux invités des menus ne comportant pas le moindre prix. Une idée toute simple basée sur un principe de bonne éducation : lorsqu'on convie quelqu'un à sa table, on préfère qu'il ignore la valeur du cadeau que vous lui faites. De plus, cela n'oblige pas certaines personnes trop bien élevées à prendre ce qu'il y a de moins cher sur la carte pour ne pas désobliger leur hôte. Certains ont crié au scandale, d'autres m'ont traité de machiste. Cela n'a pas empêché d'innombrables restaurateurs de copier ce principe.

De même ai-je imposé qu'au cours d'un repas, on ne retire pas un cendrier sans le recouvrir d'un autre, vide, avant de laisser ce dernier sur la table. Là encore, j'ai donné une idée à bon nombre de mes confrères…

Soyons francs, tout n'a pas été toujours rose à la Tour d'Argent. Nous avons ainsi traversé des moments difficiles qu'il m'est impossible d'oublier. En mai 1968, entourés de barricades, nous avons été condamnés à fermer nos portes pendant près de quatre semaines. Le 2 juillet 1971, un hold-up a mis la maison et ses hôtes en émoi et le 1er novembre de la même année, des voyous nous ont attaqués à coups de pavés. En septembre 1974, un cambriolage nocturne a privé nos vitrines de leurs plus rares trésors et, plus terrible encore, un commando d'Action Directe a saccagé nos salons le 22 septembre 1981.

Et puis, enfin, il y a eu cette malheureuse et longue polémique juridico-historique qui a opposé ma Tour d'Argent à la brasserie "À La Tour d'Argent", située place de la Bastille. À cause de cette enseigne, d'innombrables touristes venus à Paris pour dîner quai de la Tournelle ont été véhiculés par des chauffeurs de taxi dans un établissement n'ayant rien à voir avec le nôtre ! Le 16 juin 1992, après des années de procédure, la Cour de cassation nous a définitivement donné raison. Notre antériorité sur tout autre établissement est maintenant établie !

Des épreuves que nous avons surmontées le plus vite possible afin de ne jamais pénaliser nos clients et nos amis. Pour eux, comme pour nous, un déjeuner ou un dîner à la Tour d'Argent, c'est un moment rare. On n'y vient pas parce qu'il est 13 heures ou 21 heures, c'est-à-dire le moment de déjeuner ou de dîner.

Un repas quai de la Tournelle, c'est la concrétisation d'un rêve, un cadeau exceptionnel, la célébration d'un anniversaire, d'un mariage ou de fiançailles. Je ne compte plus le nombre de jeunes gens qui, au dessert, se sont levés, ont posé un genou à terre et ont demandé la main de leur belle, devant les autres membres de la famille, aussi émus que lui. Une cérémonie se terminant toujours par la remise d'une bague discrètement transmise au jeune homme par l'un de mes maîtres d'hôtel, complice d'un jour de ce bonheur.

Aujourd'hui comme hier, avant-hier et, je l'espère demain, un souverain ou un chef d'État passant par Paris ne manque jamais de nous rendre visite, les responsables des Internationaux de Roland-Garros se retrouvent traditionnellement ici pour fêter la fin

Open de polo de Bagatelle : victoire des «Maillets d'Argent», 1972 :
avec Nathaniel de Rothschild, Élie de Rothschild, Jacques Macaire, et Lionel Macaire.

Sur les bords de Seine, face à la Tour, 1960.

du tournoi et Woody Allen considère désormais la Tour d'Argent comme sa cantine parisienne. Il a tourné, à regret, la scène finale de son film *Tout le monde dit I love you* au pied du restaurant parce que techniquement, les prises de vues originellement prévues sur notre toit étaient impossibles. Enfin, sachez qu'il est trop tard pour réserver une table le 31 décembre 1999 : nous sommes déjà complets depuis plusieurs années.

Vous constituez, je vous le confesse, la préoccupation essentielle de mon existence. Lorsque je vous évoque, je parle de « Sa Majesté le client ». Voilà pourquoi depuis un demi-siècle, je suis resté fidèle à des traditions d'accueil, mais aussi à des recettes qui ont fait leurs preuves depuis tant d'années. J'ai ainsi évité l'écueil pour le restaurateur qu'a constitué, dans les années soixante-dix, cette mode baptisée « nouvelle cuisine ». Devant certains plats à

peine cuits et ne dégageant pas la moindre saveur, j'ai parfois éprouvé l'horrible sensation d'assister à une pièce de théâtre à laquelle personne ne comprend rien, à commencer par moi, mais que l'on considère néanmoins comme « importante, merveilleuse et remarquable ». Si Jean Cocteau a écrit un jour : « La mode, c'est ce qui se démode », ce n'est pas sans raison. Cet étalage d'hypocrisie prétendument nécessaire si l'on veut, comme on dit, « être dans le vent », a également constitué, à mes yeux, une insulte suprême envers tous ceux qui ont consacré leur vie et leur talent à inventer les recettes les plus délicieuses. On a soudain éprouvé le sentiment que, en fin de compte, avant la « nouvelle cuisine », il ne s'était rien passé. Escoffier, Frédéric et Fernand Point ont dû se retourner dans leur tombe !

Je demeure également opposé à cette autre mode qui consiste à placer une espèce de bol à l'envers, baptisée « cloche », sur une assiette, avant qu'elle ne quitte les cuisines. Si, sur un potage ou un velouté, cela me semble indispensable, je ne crois pas, en revanche, que cela conserve la chaleur ou apporte quelque chose de plus au consommateur. J'ai découvert que ce procédé avait été imaginé pour les wagons-lits en un temps où les locomotives étaient à vapeur. Une telle protection était alors utile puisqu'elle évitait les fumées nocives pouvant gâcher un plat. Au XVIIᵉ siècle, un tel usage avait également un autre avantage : vous mettre à l'abri des comploteurs n'hésitant pas à glisser un peu de poison dans votre assiette entre les cuisines et la table.

Anne, ma fille, avec ses deux enfants, Félix et Eva.

À ma connaissance, ce genre de risque n'est plus guère d'actualité à l'aube du XXIᵉ siècle.

Ne croyez pas pour autant que je sois sectaire et opposé à toute évolution. Chaque matin, à 9 heures 30 précises, je réunis mon équipe et, après avoir évoqué en détail la journée de la veille et soigneusement établi le plan de table du jour, nous réfléchissons à l'arrivée de recettes nouvelles dans notre carte, ainsi qu'à la disparition de certains plats. On me reproche parfois d'être un peu sévère avec mes collaborateurs. Ma réponse est alors toujours la même : je préfère dire les choses franchement et violemment une bonne fois pour toutes et qu'ensuite, on parle d'autre chose. De plus, mon rôle est de former exclusivement des équipes gagnantes. Je suis ainsi aujourd'hui très fier de constater que la plupart de celles et ceux qui ont débuté chez moi sont devenus, à force de travail et d'efforts, les meilleurs dans leur profession. Ils méritent tous un coup de chapeau, d'Alain, notre « chasseur sachant garer », au directeur, en passant par les maîtres d'hôtel, les garçons, les chefs de rang, les commis, les « canardiers » et les dames du vestiaire. Ils savent être accueillants, souriants et précis devant la plus illustre des stars, mais aussi face au plus anonyme de nos clients. Ils ont l'œil sur tout et veillent ainsi à l'exécution d'un service qui se veut aussi réglé que l'exécution d'une pièce de théâtre où chacun tient son rôle.

Je salue moi-même de la même manière chacun de nos convives en passant exactement le même temps à table avec les uns comme avec les autres. La présence d'une personnalité, aussi célèbre soit-elle, ne doit pas donner l'impression aux autres qu'ils sont moins importants, donc qu'ils seront moins bien servis.

Parfois, tout ne se passe pas aussi bien que nous l'avions prévu, mais que voulez-vous, personne n'est parfait. Il m'arrive de recevoir des lettres suffisamment sévères pour que je les prenne immédiatement en considération. Je suis ravi lorsqu'on me remercie pour la qualité des mets et le charme des lieux mais je demeure extrêmement attentif lorsque, dans mon courrier, on me reproche une table branlante, une trace de rouge à lèvres sur le bord d'une tasse à café ou une fuite d'eau aux toilettes. Il est même arrivé que des clients m'adressent la contravention accrochée sur leur pare-brise par des contractuelles qui avaient profité d'un moment d'absence de notre voiturier, parti garer un autre véhicule. À chaque fois, je réponds en précisant que, à

François Legland : pendant vingt-cinq ans, il a déjeuné chaque lundi à la meilleure table : la tour était fermée et il venait laver les carreaux.

travers une « cellule de crise » que j'ai consti-
tuée, nous nous efforçons de corriger au plus
vite les erreurs signalées.

Je consacre un peu de temps à la chasse et au
polo, deux autres passions qui me sont chères,
mais cela ne m'empêche pas de travailler d'ar-
rache-pied tous les jours, sauf le lundi.

Ce soir-là, profitant de la fermeture hebdomadaire de la Tour d'Argent, j'organise régulièrement des fêtes où je convie douze ou seize amis
très chers. J'évite d'en inviter quatorze, afin de
ne pas avoir à faire face, en cas de désistement,
au fameux « treize à table ». Au rythme de
quelques musiciens, nous dînons souvent autour d'un thème et, parfois, les surprises sont
au rendez-vous. Je me souviens ainsi d'un buf-

Jacques Martin et les Muppets :
de la télé à la Tour, 1982.

Eddie Barclay, Charlotte Rampling, Thierry Le Luron… :
des invités des fêtes de notre quatrième centenaire, 1982.

Woody Allen, 1995 :
quand il vient à Paris,
la Tour est sa cantine.

Je pense chaque jour à ces lendemains, surtout depuis le plus beau jour de ma vie : la naissance, voici presque dix-huit ans, d'André, mon fils. Je n'espérais pas un tel bonheur avant de rencontrer, chez des amis communs, Taria, une délicieuse Finlandaise qui allait devenir ma seconde femme. Nous avons passé une excellente soirée ensemble, puis je l'ai perdue de vue. Un jour où elle était de passage à Paris, elle m'a téléphoné et nous nous sommes retrouvés. Je l'ai d'abord invitée à déjeuner, mais elle a refusé en affirmant qu'elle était terriblement occupée. Je lui ai aussitôt proposé de fixer un autre rendez-vous, à la date de son choix, quand elle serait libre. Elle ne s'attendait pas à cette insistance et, plus tard, elle m'a affectueusement avoué qu'elle s'était sentie soudain piégée.

Nous n'avons pas eu à le regretter, ni l'un ni l'autre. En effet, un matin, elle m'a annoncé qu'elle attendait un garçon. Une nouvelle qui a bouleversé mes plans. En effet, Anne, ma fille aînée, ne s'intéressant absolument pas à la restauration, j'ai longtemps pensé transformer la Tour d'Argent en une école de cuisine où seraient réunis les meilleurs professeurs. Aujourd'hui, si je demeure président-directeur général de mes affaires, ce fils que j'ai prénommé André – comme mon père – en est, légalement, le nouveau propriétaire. Très vite, j'ai compris que je tenais en lui un successeur en puissance. Depuis sa plus tendre enfance, lorsqu'on lui demande ce qu'il veut faire plus tard, il répond :
« Restaurateur comme papa. »

fet où l'on avait servi des huîtres dans lesquelles j'avais préalablement fait glisser des perles. Elles étaient sans valeur mais, croyez-moi, l'effet de surprise a été réussi.

Et l'avenir, me direz-vous ? Allez, projetons-nous au XXIᵉ siècle et comme dit Sacha Guitry : « Faisons un rêve »…

Ornella Muti, 1982 :
l'une des reines
des fêtes de notre
quatrième centenaire.

– Pourquoi ? ajoute-t-on.

– Parce que je ne peux pas faire autrement ! »
C'est d'une naïveté mais d'une sincérité totale !
Tiendra-t-il sa promesse ? Je le souhaite très pro-
fondément. En tout cas, Taria et moi, nous nous
sommes toujours évertués à ce qu'il reçoive la
meilleure éducation afin que, le cas échéant, il
soit parfaitement préparé au monde de demain.
Un jour, donc, la Tour d'Argent sera à lui.
J'espère qu'il poursuivra la tradition en maintenant, contre vents, marées et énarques, la
qualité et l'authenticité de nos produits.

Enfin, je forme le vœu qu'il demeure fidèle à
cet esprit de panache qui m'est cher et me

semble, hélas, en voie de disparition. À mes
yeux, un pays qui néglige cet art de vivre a
bien du souci à se faire pour son avenir.
Dans mon salon, je possède une pendule
baptisée « l'horloge de l'amitié », où, symboliquement, à chaque heure, j'ai placé un être
qui m'est cher et qui pour moi dispose de la
plus grande qualité du monde : la suprême
élégance des gestes gratuits. Des êtres excep-
tionnels affichant un vrai sens de la fête et
capables de se faire plaisir, mais, surtout, de
faire plaisir aux autres…

Ces gens-là constituent une race en voie de
disparition. Il est urgent de les préserver !

Le personnel de la Tour
au grand complet.

Je serai votre guide…

Dans *La Vie parisienne*, l'un des personnages chante, sur une musique d'Offenbach : « je serai votre guide dans la ville splendide… » Eh bien, permettez-moi, l'espace de quelques pages, de devenir, à mon tour, votre guide, dans mon royaume de la Tour d'Argent.

Commençons par l'entrée de l'immeuble. La grille qui protège notre porte date du XVIIe siècle et fut celle de la duchesse d'Uzès. Juste au-dessus, le nom du restaurant est écrit en lettres d'argent scellées. Le soir, six lanternes, conçues dans le style de Versailles par Raymond Subes, le premier ferronnier de France, diffusent la lumière qui argente les murs.

Entrons dans l'antichambre blanc et or qu'illuminent deux anges dorés porteurs de torches, passons la porte aux panneaux sculptés et pénétrons dans le « grand salon ». Des boiseries peintes figurant, l'une le Pont-Neuf, l'autre la tour de Nesles, ont retrouvé leurs couleurs d'antan. Le grand tapis de la Savonnerie, les miroirs anciens, les soieries bleu et or de Tassinari, fournisseur de Versailles, habillent les fenêtres et donnent à l'ensemble une atmosphère d'intimité.

Dans la salle du fond, voici notre « petit Musée de la Table » où j'ai réuni quelques souvenirs de l'histoire de la Tour d'Argent, mais aussi du Café anglais, chers à mon cœur. La pièce maîtresse en est la table des Trois Empereurs, reconstituée dans ses moindres détails grâce aux éléments laissés par Claudius Burdel, mon grand-père maternel. La nappe, les serviettes, les couverts et les verres ressemblent à s'y méprendre à ceux utilisés le 7 juin 1867 au Café anglais pour la soirée réunissant le roi de Prusse Guillaume 1er, le tsar de Russie Alexandre II, le tsarévitch Alexandre et le prince de Bismarck. Tout près, j'ai placé le service en vermeil offert par Napoléon III à Cora Pean, demi-mondaine du second Empire, orné de la devise de cette dernière : « Je le ferai ». Elle l'avait offert à l'un de ses amis, Alexandre Dual, qui, plus tard, en fit don à mon grand-père. En regardant avec attention les vitrines, on découvre également, entre autres, des assiettes de Sèvres du roi Louis-Philippe, de très vieilles bouteilles de champagne de la collection Moët et Chandon, des plats de la Compagnie des Indes, un moulin à café du XVIIe siècle, une fourchette du XVI^{ère} siècle, un verre ayant appartenu à Élisabeth 1e de Russie, un « verre à tromper », que l'on croit plein de vin alors

qu'il est absolument vide et une cuvette suffisamment vaste pour permettre des ablutions
importantes mais exclusivement utilisée
comme rince-doigts.

Près de l'ascenseur qui mène au sixième étage
où vous attend votre dîner, à côté de vitrines
où sont précieusement rangées des minia-
tures d'argent, se trouvent encadrés les auto-
graphes de nos clients les plus prestigieux. Un
livre d'or, j'en suis sûr, unique au monde.

Un parcours se poursuivant, à la sortie de l'ascenseur, par la découverte d'une chaise à porteurs ayant appartenu, au XVIIe siècle, à la
Pompadour, et aujourd'hui transformée en ca-
bine téléphonique. Juste à côté se trouvent des
gravures signées Rembrandt et Dürer. Enfin,
avant de rejoindre votre table, n'oubliez pas de
jeter un coup d'œil au « salon Frédéric » où se
trouve l'original d'un portrait reproduit sur les
cartes numérotées des canards, représentant le
« Bayreuth de la cuisine » en train d'œuvrer
pour votre plaisir.

Vous voici enfin assis, face aux tours de
Notre-Dame. Devant elles, je m'efface
galamment, en vous disant « bonsoir »,
ce qui, dans mon esprit, signifie que je vous
souhaite réellement une bonne soirée…

La Tour vue du ciel…

Un siècle à la Tour d'Argent.

Quelques personnalités de passage :

1900 : Grand-duc Wladimir de Russie.

1910 : Theodore Roosevelt.

1914 : Alphonse XIII d'Espagne.

1919 : Albert Santos-Dumont.

1921 : L'empereur Hirohito.

1928 : Paul Doumer.

1929 : Boris III, roi de Bulgarie, Féodor Chaliapine, Zogu, roi d'Albanie, Raymond Loewy.

1930 : Franklin Delano Roosevelt.

1937 : Jeanne Lanvin.

1938 : Le duc de Windsor.

1948 : Norodom Sihanouk, roi du Cambodge ; Pierre et Alexandra, roi et reine de Yougoslavie ; princesse Élisabeth d'Angleterre et prince Philippe d'Édimbourg ; Robert Schuman.

1949 : Lorelle Hearst, Ingrid Bergman, Charles Boyer, Roger Ferdinand, Jules Romains, Marcel Pagnol, Marcel Achard, François Mauriac, Édouard Herriot, François Mitterrand, Jean Effel, Simone Berriau, Anatole Litvak, Jacques Fath, Marcel Rochas, Christian Dior, Balenciaga, Pierre Balmain, Coco Chanel, Orson Welles, Ali Khan, Zsa Zsa Gabor, Gloria Swanson.

1950 : Humbert II, roi d'Italie, Rex Harrison, Helena Rubinstein, Maurice Chevalier, Porfirio Rubirosa, Clark Gable, Errol Flynn, Gregory Peck, Frank Sinatra, Joan Crawford, Walt Disney.

1951 : Oliver Hardy, Lauren Bacall, Humphrey Bogart, Edwige Feuillère, René Floriot, Michèle Morgan, Henri Vidal, François Périer, Dany Kaye, Roberto Rossellini, Erich von Stroheim, Sacha Guitry, Greta Garbo, Soraya, impératrice d'Iran, prince Wladimir Rachevski.

1952 : Sir Alexander Fleming, prix Nobel de médecine, Charlie Chaplin.

1953 : princesse Élisabeth de Roumanie, Darryl Zanuck, Fernandel.

1954 : princesse Margrethe du Danemark et reine Ingrid du Danemark, John et Joseph Kennedy, Vincent Auriol, Karim Aga Khan, Alfred Hithcock, Jean Cocteau, Marcel Dassault.

1955 : Faysal, roi d'Arabie, Paul et Frédérika de Grèce, Jacqueline Auriol, Jack Warner, Gary Cooper.

1956 : Harry et Margaret Truman.

1957 : Maria Callas.

1958 : Charles Laughton, Trevor Howard.

1959 : André François Poncet, cardinal Spellman, cardinal Feltin, Mgr Maillet.

1960 : Maurice Couve de Murville, général von Choltitz, Harold Lloyd, Louis Pasteur Vallery-Radot, Mme la maréchale Leclerc de Hautecloque.

1962 : Valéry Giscard d'Estaing, Natalie Wood, Peter Sellers, Peter Falk, Claude Lelouch, Philippe Peschaud, Henry Kissinger, Nelson Rockfeller, Albert Uderzo, René Goscinny , prince Henri de France, princesses Isabelle et Anne de France, princesse Sophie de Grèce, princesse Isabelle d'Orléans, Juan Carlos .

1963 : Richard Nixon, Calouste Gulbenkian, Philippe de Gaulle.

1964 : Christian Fouchet, princesse Maria Gabriela de Savoie, Husayn de Jordanie, Achmed et Dewi Sokarno.

1965 : Eddie Barclay, Mary Pickford, Shirley Temple, Bourvil, Michel Jazy, Salvador Dali, William Wyler, Serge Lifar, prince Youssoupov, Maurice Druon.

1966 : maréchal Alphonse Juin, John Glenn, général Koenig, Ursula Andress, Omar Sharif, Mireille Darc, Marielle Goitschel.

1967 : Henri Troyat, Pierre Gaxotte.

le plus grand générique du monde…

1968 : Chris Barnard, André Malraux, Louise de Vilmorin, Aristote Onassis.

1969 : Hergé, Herbert von Karajan.

1973 : Messieurs Gromyko et Rodgers, ministres des Affaires étrangères d'URSS et des États-Unis.

1974 : John Wayne, Léopold de Belgique.

1975 : Jacques Chirac, Edgar Faure, Grace de Monaco, Caroline de Monaco, Lino Ventura, Raymond Barre, Georges Mathieu, Eddy Merckx.

1977 : Simone Weil, Constantin et Anne-Marie de Grèce, Lise Marie Presley, El Cordobès, Eugène Ionesco.

1978 : Mick Jagger, Elton John, Serge Gainsbourg, Marie Bell, Charlton Heston, Robert Stack, Roger Peyrefitte.

1979 : Roman Polanski, prince Takahito du Japon, Mel Brooks, Rod Stewart, Bernard Hinault, baron Empain.

1980 : Elizabeth Taylor, Jean-Pierre Rives, Anthony Hopkins, Paul Petridès.

1981: Henri Salvador, John Travolta, Julio Iglesias, Marco Ferreri, Barbara Cartland, Farah Fawcett, Greg Lemon.

1982 : Ornella Muti, Charlton Heston, Marco Ferreri.

1983 : commandant Cousteau, Björn Borg, Jean-Paul Belmondo, Rudolf Noureev.

1984 : Charles Aznavour, Robert De Niro, Rock Hudson, Maureen Reagan, Giulio Andreotti.

1985 : Maurice Jarre, Alice Sapritch, France Gall, Michel Berger, Wladimir Horowitz, Gene Hackman, Claudine Auger, Isabelle Huppert, Clint Eastwood.

1986 : Coluche, Thierry Le Luron, Yves Montand, Gene Tierney, Yitzhak Shamir, Jamie Lee Curtis, Tony Curtis, Dustin Hoffman, Anouk Aimée, Steven Spielberg, Alain Juppé.

1987 : Jacques Chaban-Delmas, Francis Huster, Gene Kelly, Patrick Dupont, Alain Delon, Catherine Deneuve, Kirk Douglas, Ettore Scola.

1988 : Michel Sardou, Jack Nicholson, Edward Heath, Gary Kasparov, Linda et Paul Mc Cartney, François Léotard, Marlène Jobert, Henri Leconte, Stirling Moss, Louis Amade, Édouard Balladur.

1989 : Burt Lancaster, Jean-Jacques Beneix, Paul-Emile Victor.

1990 : Lionel Jospin, Francis Lopez, Jack Nicholson, Charles Trenet.

1991 : Maurice Herzog, Carole Laure, Roland Dumas, Christian Cabrol, David Bowie, Pierre Trudeau, Nicole Kidman, Liza Minnelli.

1992 : Stéphanie de Monaco, Umberto Eco, Raymond Devos, Jean Marin, Roch Voisine, Florence Arthaud, Tina Turner, Roy Disney, Jacques Calvet, David Lynch, Pierce Brosnan.

1993 : Georges Charpak, prince Napoléon, Luc Montagnier, César, Edith Cresson, David Ginola, Philippe Séguin.

1994 : Claudia Schiffer, Nicolas Sarkozy, Jean-Luc Lagardère, Dorothée, Pamela Harriman, Pierre Messmer, général Bigeard, général Lacaze.

1995 : François Bayrou, Jean Lartéguy, Brooke Shields, André Agassi, Patrick Baudry, Karen Mulder, Goldie Hawn, Woody Allen.

1996 : Philippe de Villiers, Jean Marais, Johnny Hallyday, Jean-Louis Debré, Billy Joël.

1997 : Michel Petrucciani, Bernard Pons, Michèle Morgan, Gérard Oury.

Et si nous parlions
un peu du canard ?

Le canard qui, ce soir peut-être ou bien un autre jour, sera sur votre table, est connu sous le nom de « Canard Challandais ». Son origine remonte à 1650 à l'heure du règne de Philippe IV d'Espagne. Des Espagnols émigrés sur les côtes de Vendée capturent puis domestiquent des canards sauvages alors très nombreux dans les marais. Au fil des siècles, les croisements vont permettre à ces volatiles d'atteindre le poids et la qualité qui font leur réputation.

Aujourd'hui, l'élevage se déroule dans des marais côtiers qui s'étendent sur trente-cinq kilomètres environ le long du littoral, et quinze kilomètres dans les terres, au nord de la Vendée.

Le climat tempéré, le sol marécageux et riche en sels minéraux, alimenté par des canaux descendant de la Loire et du lac du Grand Lieu, favorisent une formation exceptionnelle et rapide des canards, puisqu'à l'âge de neuf semaines, nourris de céréales, ils pèsent parfois près de trois kilos !

Quelques recettes…

CANETON TOUR D'ARGENT

Pour l'exécution de cette recette,
il est indispensable de prendre un très beau
canard, âgé de six à huit semaines,
et engraissé tout particulièrement dans
nos élevages de Vendée, durant les quinze
derniers jours. Il doit avoir été tué
par suffocation. On a pris la précaution
de préparer à l'avance un consommé
bien épicé, avec les abattis et des carcasses
de précédents canards.

On fait d'abord rôtir la volaille à four
vif, superficiellement pendant
une vingtaine de minutes.
Cette première opération
effectuée, elle est livrée au
canardier qui va la
présenter au client selon
un cérémonial rituel. Il la
ramène sur la scène du
Petit Théâtre, d'où chacun
pourra suivre l'ensemble du
"sacrifice".

On place le foie précédemment haché sur
un plat creux en argent, on y ajoute une
mesure de madère vieux, un petit verre de
cognac et un filet de citron. Le canardier
s'empare de son canard et commence par
détacher les cuisses qui vont être mises à
griller à la cuisine pendant le temps que
durera la préparation. Puis à l'aide d'un
couteau à lame très effilée, il enlève toute la
peau, il lève les filets sous forme de tranches

très fines et aussi larges que possible.
Ces filets sont disposés dans le plat où
l'attendent le foie haché, le madère,
le cognac et le jus de citron. La carcasse
reçoit quelques coups de sécateur pour être
réduite et enfermée dans la presse prévue
à cet usage. En pressant à deux ou trois
reprises, on extrait tout le jus, auquel
on ajoute la valeur d'un verre de consommé.
Ce jus vient de rejoindre les filets dans le
plat avec la précédente préparation. On
assaisonne à point, sel et poivre
(se méfier de la réduction).

On met le plat sur un
réchaud muni de deux
fortes lampes à alcool.
Le canardier se met en
devoir de cuire les filets,
sans cesser pendant vingt-
cinq minutes de battre
la sauce dans laquelle ils
baignent. Au bout de ce temps,
elle est réduite à point et ressemble
à du chocolat fondu.

Pour servir, les filets sont disposés sur
une assiette très chaude et généreusement
nappée de sauce, accompagnés par
des pommes soufflées.

Un deuxième service est constitué de
cuisses grillées et assaisonnées, rapportées
de la cuisine et servies avec une salade
bien tendre.

CANETON DE L'AN 2000 *(création de Bernard Guilhaudin)*

Un beau Challans dodu frisant les trois kilos, voilà votre sujet.

Prélevez les abattis – bréchet, cou, pattes, ailerons, foie, cœur et gésier – et mettez-les à mariner : une demi-bouteille de château margaux, un semis d'échalote et un nuage de quatre-épices y suffiront.

Deux jours, c'est ce qu'il faut compter.
Passé ce délai, dans un plat allant au four, versez un demi-décilitre d'huile. À bonne et forte chaleur, posez-y votre caneton et dorez-le vivement. Entourez l'animal de ses abattis, de dés de carotte, d'une échalote et d'un petit oignon ; versez le jus d'un citron, salez et poivrez au moulin. Vous pouvez enfourner.

Vingt-cinq minutes durant, vous retournerez la bête pour une cuisson régulière en prenant soin d'arroser largement.

Pour autant, n'oublions pas les "agréments" : pommes de terre "rattes" (300 g), quelques fonds d'artichauts, une petite betterave rouge cuite, trois feuilles de chou vert et 200 g de champignons forestiers sont les matières premières.

Par ordre procédons.
Au four vous cuirez les rattes : la pulpe bien sèche acceptera une bonne noix de beurre et les jaunes de quatre œufs. Ce mélange bien homogène (la main doit rester légère), vous le façonnerez en petites poires bien tournées et affermies doucement au beurre clarifié.

Pour les fonds d'artichauts : eau, sel et jus de citron. Vous les retirez dès qu'ils témoignent quelque tendresse.

Mixez la betterave pendant que blanchit le chou vert et qu'à la poêle ont suinté les champignons.

Conservez le tout bien au chaud.

Voici l'heure de dextérité.
Avant la demi-heure sonnée, sortez le volatile.

Mouillez la marinade de quatre décilitres de fond blanc et faites réduire à glace. Passez au chinois ; vous pourrez alors monter cette sauce au beurre (40 g).

C'est fait, la voilà prête...
Sur des assiettes chaudes, nappez pour moitié de la sauce, vous y poserez délicatement trois ou quatre aiguillettes de canard détaillées avec soin. Sur l'autre moitié, à même la porcelaine, dressez un fond d'artichaut coiffé de la pulpe de betterave et bientôt rejoint par une ou deux "poires de pommes". À côté, un fin cannelloni de chou fourré de champignons s'étirera à l'aise.

Pour finir, la cuisse et haut de cuisse (bien grillés, s'il vous plaît) s'opposeront aux bornes de la sauce.

Servez chaud...

En soliste, c'est l'exploit. Exécuté à quatre mains, vous n'en tirerez que des compliments.

AIGUILLETTES DE CANETON MONTMORENCY

Rôtir un beau caneton (2,800 kg environ) en le tenant légèrement rosé. Le laisser refroidir. Détacher les cuisses et les mettre de côté pour une autre préparation. Enlever la peau. Découper chaque filet de façon à faire trois fines tranches.

Faire prendre dans un plat une légère couche de gelée aux cerises parfumée au Cherry Herring. Ranger les filets de caneton côte à côte. Décorer chaque filet de cerises pochées au sirop. Napper le tout de gelée aux cerises. Laisser reposer au froid.

CANETON AUX REINETTES
(CANETON AU POIVRE DU ROI D'OR, DIT "CLAUDE FOUSSIER")

Pour quatre personnes :
- Deux beaux canards nantais
  de 2 kg environ
- Une pomme reinette
- 100 g de baies d'airelles
- 50 g de pistaches fraîches
- 100 g de beurre

Ingrédients pour la sauce :
- Quatre cuillerées à café de baies roses
  de poivre de Chine
- Cognac, 10 cl
- Sauce poivrade, un litre
- Crème fraîche, 5 cl
Assaisonnement : sel et poivre

Pour faire la sauce poivrade :
Faire mariner une carcasse de canard, 250 g
d'os d'agneau avec 1/4 de litre de vin blanc
sec, 1 décilitre de vinaigre, un bouquet
garni, quatre échalotes, une carotte émincée,
dix grains de poivre blanc, pendant
48 heures au réfrigérateur. Égoutter
séparément les os et les légumes, faire

revenir les os dans deux cuillerées à soupe
d'huile, ajouter la marinade et faire réduire
presque complètement, mouiller avec une
composition de 50 décilitres de jus de rôti
et 25 dl d'eau. Laisser mijoter pendant
1/2 heure, passer la sauce au chinois.
Faire rôtir les canards avec 50 g
de beurre, réglage au thermostat 8.

Fabrication de la sauce Poivre d'Or :
Réduire le cognac aux 3/4 avec les baies
roses, ajouter la sauce poivrade, la crème
fraîche, assaisonner. Cuire 15 minutes et
rectifier l'assaisonnement (poivre du moulin,
sel). Faire dorer avec 50 g de beurre la
reinette coupée en dés, les incorporer à la
sauce ainsi que les pistaches et les airelles.
Dresser sur un plat de service, nappez
d'une partie de la sauce, ajouter la garniture
en décor. Saucière à part.
Servir en même temps des pommes soufflées
ou du riz sauvage.

CANETON À L'ORANGE

Pour 4 personnes :
Rôtir un beau canard (2 kg 500) bien
tendre, à four moyen pendant 45 minutes.
Dans un plat à sauter, faire revenir au beurre
les abattis coupés fin avec thym, queues de
persil et échalotes émincées.
Déglacer au vin blanc sec, réduire, puis
mouiller avec un bon consommé de canard
et cuire 45 minutes.
Dans une autre casserole, mettre une
cuillerée de vinaigre et autant de sucre,

réduire presqu'au caramel.
Ensuite ajouter le jus précédemment
préparé et passé et faire cuire le tout
15 minutes avec le jus d'une belle orange,
lier avec un peu de fécule. Passer à nouveau.
Ajouter les zestes de deux oranges coupés
en julienne très fine et blanchis.
Finir avec un peu de Curaçao
et rectifier l'assaisonnement.
Servir avec les quartiers des oranges pelées à
vif, présentés dans leur écorce, sauce à part.

CANARD AUX POIRES

Prendre des poires genre Passe-Crassane à peau rugueuse et à chair ferme et parfumée. Les pocher au vin rouge avec un soupçon de clou de girofle en les tenant fermes. D'un canard de Challans, lever les deux filets (magrets) et les deux cuisses. Désosser et dénerver les cuisses, les farcir d'une farce faite du foie du canard, de lard de poitrine, d'échalotes, etc.

Avec la carcasse, faire un excellent consommé de canard qui va servir à réaliser une onctueuse sauce canard de Chambertin. Les filets sont sautés au beurre, servis saignants avec pommes soufflées et poires pochées au vin rouge, glacées à la pelle rougie après les avoir très peu sucrées. Les cuisses farcies cuites au grill sont servies avec, selon le goût :
- soit une salade verte à l'huile de noix garnie de noix émondées,
- soit une sauce moutarde basée sur une hollandaise serrée moutardée,
- soit les deux ensemble.

CANETON AU RAISIN

- 1 canard de 2,5 kg
- 2 cl de jus de raisin
- 400 g de raisin frais en garniture
- 40 g de beurre
- 1 dl de crème fraîche
- 1/2 l de fond de veau
- 1 cl de cognac

Progression :

1. Cuisson du Canard.
Assaisonner le canard de sel et de poivre. Le disposer dans un plat à rôtir avec 40 g de beurre et le faire cuire à four chaud (thermostat à 220°) pendant 45 mn, en l'arrosant souvent avec son jus de cuisson.

2. Préparation de la sauce.
Mettre dans une casserole le jus de raisin, le cognac. Laisser réduire de moitié à feu vif, puis ajouter le raisin. Laisser réduire complètement, puis mouiller avec le fond de veau et faire réduire encore une fois, pendant 20 minutes.

3. Garnir de légumes à votre convenance.

CANETON ELIE DE ROTHSCHILD

Prendre un beau canard de 2,5 kg. Le vider en laissant à l'intérieur les poumons. Le faire rôtir 25 minutes. Lever les cuisses. Celles-ci seront grillées et servies accompagnées d'une salade en deuxième plat. Lever les ailes et les tenir au chaud sans cuire.

Dégraisser la carcasse, la presser pour en recueillir le sang. Ajouter un très bon consommé. Assaisonner, assez relevé. Servir en assiette à potage, avec l'aile du canard. Mettre dans une tasse à consommé le restant de la sauce et servir ainsi. Accompagner de riz pilaf.

Table

Dans la même collection

Les Deux Magots

Arnaud Hofmarcher

Préface de Jean-Paul Caracalla

Imprimé en France
Dépôt légal : novembre 1997
N° d'édition : 536 – N° d'impression : 73307
ISBN : 2-86274-536-7